Internet del Dinero

Una recopilación de las mejores conferencias de Andreas M. Antonopoulos

https://TheInternetOfMoney.org/

Dedicado a la comunidad Bitcoin

Aviso legal:

Este libro se basa en comentarios y opiniones de su autor que han sido revisados, corregidos, mejorados y finalmente editados. Gran parte del contenido se basa en su experiencia personal y en la evidencia anecdótica. Su propósito es promover la reflexión sobre las ideas, estimular el debate filosófico e inspirar más investigación independiente. No es un consejo de inversión; No lo utilice para tomar decisiones relacionadas con la inversión. No es un consejo legal; Consulte a un abogado en su jurisdicción sobre los temas de contenido legal que le puedan afectar. A pesar de nuestros mejores esfuerzos puede contener errores y omisiones. Andreas M. Antonopoulos, Merkle Bloom LLC, los editores, los revisores, los transcriptores, los traductores y los diseñadores no asumen responsabilidad por posibles errores y omisiones que puedan darse en el libro. La industria de bitcoin y blockchain evoluciona muy rápidamente; utilice este libro como una referencia más, no como su única referencia.

Las referencias a obras registradas o protegidas por derechos de autor aparecen sólo con el objeto de formular críticas y comentarios. Los términos de marca registrada son propiedad de sus respectivos propietarios. Las referencias a individuos, empresas, productos y servicios se incluyen sólo con fines ilustrativos y no deben ser considerados endosos, respaldos, avales ni adhesiones.

Licencia:

Casi toda la obra original de Andreas se distribuye bajo licencias Creative Commons. Andreas nos ha concedido el modelo de licencia CC BY-SA para modificar y distribuir la obra incluida en este libro de esta manera. Si desea utilizar partes de nuestro libro en su proyecto, envíe una solicitud a licensing@merklebloom.com. Ofrecemos la mayoría de las solicitudes de licencia de forma rápida y gratuita.

Una recopilación de las mejores conferencias de Andreas M. Antonopoulos

https://antonopoulos.com/

@aantonop

Versión española por

Francisco Javier Rojas García - @JavierRojas_G -

Ingeniero Blockchain - Decentralization Technologies
- internet.of.value@gmail.com - Meetup group
Internet of Value - Mastering Bitcoin Radio

Diseño de Portada

Kathrine Smith: http://kathrinevsmith.com/

Transcripción y edición

S.H. El Hariry, M.K. Lords, Pamela Morgan, Maria Scothorn, Sarah Zolt-Gilburne

Revisión de copia

Brooke Mallers, Ph.D.: @bitcoinmom

Primera edición: **1 de Diciembre de 2017**

Envíos de erratas: errata@merklebloom.com

Solicitudes de Licencia: licensing@merklebloom.com

Información general: info@merklebloom.com

ISBN: 978-1-947910-03-4

Tabla De Contenido

Elogios a Internet del Dinero

Siempre me he preguntado qué hubiera pasado si desde el principio hubiéramos tenido navegadores de Internet con capacidad para pagar con 'un-sólo-click'. Con Bitcoin, tenemos ese Internet del Dinero. *Pero este libro no sólo es una oda a Bitcoin, es una oda a los protocolos abiertos, a lo que surge cuando conectas a la gente en línea y al poder de la innovación en Internet.*

— Marc Andreessen, co-fundador de Netscape y Andreessen Horowitz

Con Mastering Bitcoin, Andreas M. Antonopoulos escribió uno de los mejores libros técnicos sobre criptomonedas. Con Internet del Dinero, *ha repetido la hazaña recopilando sus conferencias en uno de los mejores libros sobre Bitcoin dirigido a una amplia audiencia. ¡Altamente recomendado!*

— Balaji Srinavasan, CEO 21.co

Durante los últimos tres años, la conciencia sobre la fuerza arrolladora, el potencial transformador de Bitcoin y su tecnología subyacente Blockchain ha crecido exponencialmente. Ello requiere que la gente comprenda, no sólo como funciona esta tan poco ortodoxa tecnología, sino también la profunda promesa que representa para la sociedad. Nadie ha contribuido tanto como Andreas M. Antonopoulos a superar dicho obstáculo. Léelo. Te hará más sabio.

— Michael J. Casey, co-autor de *The Age of Cryptocurrency: How Bitcoin and Digital Money are Challenging the Global Economic Order*

Prefacio

Por Andreas M. Antonopoulos

Cuando comencé mi viaje con Bitcoin jamás pensé que llegaría hasta donde hoy ha llegado. Este libro es como un breve diario de mi descubrimiento de Bitcoin a través de una serie de charlas, desde el 2013 hasta primeros de 2016.

Tras esos tres años, he dado más de 150 charlas a audiencias repartidas alrededor del mundo, he grabado más de 200 episodios en podcast, he respondido varios cientos de preguntas, he participado en más de 150 entrevistas de radio, prensa y TV, he aparecido en ocho documentales y he escrito un libro de contenido técnico llamado *Mastering Bitcoin*. La mayoría de todos estos trabajos se encuentran disponibles libremente en línea, bajo licencia open-source o de código abierto. Las charlas incluidas en este libro son sólo una pequeña muestra de mi trabajo, han sido seleccionadas por el equipo editorial para ofrecer un acercamiento a lo que es Bitcoin, sus usos y su impacto en el futuro.

Cada una de esas charlas fue realizada en vivo, sin slides o cualquier soporte audiovisual y en su mayoría fueron improvisadas. A menudo voy con un tema en mente antes de cada exposición y mientras estoy exponiéndola, una gran inspiración brota de la energía e interacción con la audiencia. De una charla a otra, los temas evolucionan a medida que ensayo con nuevas ideas, compruebo la reacción del público y termino desarrollándolas aún más. En ocasiones, algunas ideas que surgen como una pequeña chispa, evolucionan, a través de varias charlas, hacia un tema completo.

Este proceso de descubrimiento, por supuesto, no es perfecto. Mis charlas ha veces contienen pequeños errores. Doy fechas, datos sobre eventos, números y detalles técnicos, todo ello de memoria y en tales circunstancias puedo equivocarme. En este libro, mis errores sacados de la manga, malapropismos y tics verbales han sido suprimidos por los editores. Lo que permanece es la esencia de cada presentación — como yo hubiera deseado que fueran, en lugar de una transcripción de las presentaciones reales. Pero, con este trabajo de depuración y mejora, también hay un precio que pagar. Se pierde la reacción y energía de la audiencia, el tono empleado en mis frases, mis risas espontáneas y las de la gente en la sala. Por todo ello, debería ver los vídeos cuyos enlaces se muestran en el apartado Apéndice A, *Enlaces de video* en el libro.

Este libro y mi trabajo durante estos tres años va mucho más allá de lo que es Bitcoin. Todas estas conversaciones reflejan mi visión global, mis ideas políticas y esperanzas, así como mi fascinación técnica y mi devoción descarada. Son estos aspectos los que resumen mi entusiasmo por esta tecnología y el asombroso futuro que imagino. Una visión que comienza con Bitcoin, un peculiar experimento Cypherpunk que desencadena una ola de innovación, dando lugar a "Internet del Dinero" y transformando así radicalmente nuestra sociedad.

Nota de los Editores

La mayoría de la comunidad Bitcoin conoce la contribución de Andreas al fenómeno Bitcoin. Además de sus trabajos, tanto escritos como audiovisuales, es un orador público muy apreciado, alabado por ofrecer consistentemente innovadoras, inspiradoras y entretenidas charlas. Este libro representa tan sólo una pequeña muestra del trabajo de Andreas sobre la industria Bitcoin y Blockchain durante los pasados tres años. Con tal cantidad de material a sus espaldas, tan sólo decidir que presentaciones incluir fue una ardua tarea. Seleccionamos estas charlas en particular porque se ajustan a los criterios del libro; podríamos haber incluido varias docenas más. Este libro es el Volumen 1; esperamos publicar un nuevo volumen pronto.

Comenzamos el proyecto de este libro con una visión: ofrecer al lector una panorámica de porqué Bitcoin importa, de porqué muchos de nosotros estamos fascinados con Bitcoin, todo ello a través de una lectura fácil, basándonos en historias breves y entretenidas. Buscábamos algo que pudiéramos compartir con la familia, amigos y compañeros de trabajo, algo que ellos pudieran realmente leer: una síntesis que pudieran comprender en un espacio reducido de tiempo, sin sentirse obligados o tener que dedicarle tiempo explorando aquí y allá. Necesitaba ser atrayente, apoyándose en analogías con el mundo conocido para hacer de la tecnología subyacente algo comprensible a la mayoría. Necesitaba contar con un fuerte carácter inspiracional, con una visión que reflejara como estas cosas podrían impactar positivamente a la humanidad. Tendría que ser honesto, reconociendo las deficiencias de nuestros actuales sistemas y sus propias tecnologías.

A pesar de nuestros mejores esfuerzos, estamos seguros de que hay cosas que podríamos mejorar y cambiar; esta es una primera edición. El trabajo editorial se ha esforzado duramente en algunos pasajes del libro en pro de la legibilidad, mientras que en todo momento hemos tratado de preservar la esencia de cada charla, presentación o conferencia. Creemos que hemos alcanzado un buen equilibrio y estamos satisfechos con el libro en su totalidad. Esperamos que usted también lo esté. Si usted tiene comentarios acerca de la edición, el contenido o sugerencias sobre cómo podríamos mejorar el libro, por favor, envíenos un email a errata@merklebloom.com.

Consejos para que su experiencia de lectura sea aún mejor:

Cada charla está pensada como un contenido aislado. No necesita comenzar a leer por el principio — aunque si eres un recién llegado a Bitcoin puede que aprecies comenzar por la primera charla, "Qué es Bitcoin," para obtener una idea inicial de la temática general del libro. Seguramente apreciarás como algún tema o analogía se repite, como las alusiones a la Red Flag Act o la conversación entre padres e hijos sobre el dinero. Aunque es cierto que algunos ejemplos se repiten ocasionalmente, a menudo lo hacen con el objetivo de ilustrar puntos muy diferentes correspondientes a cada charla en particular.

Encontrará un índice muy útil al final del libro. Una de las cosas de las que estamos más orgullosos es del índice. Hemos trabajado mucho para proporcionar un índice que le permitirá hacer búsquedas cruzadas, localizar temas y cualquier asunto de interés.

¿Qué es Bitcoin?

Disrupción, Arranque, Crecimiento; Atenas, Grecia; Noviembre 2013

Enlace al video: https://www.youtube.com/watch?v=LA9A1RyXv9s

*Nota del Traductor: Esta presentación tuvo lugar a finales de 2013.
Las transacciones Bitcoin han dejado de ser gratuitas. Actualmente, las
comisiones, según las condiciones de la red Bitcoin, pueden llegar a aumentar
considerablemente. Su valor no depende de las cantidades transferidas en la
transacción sino de los recursos empleados para poder dar validez a la misma y del
mantenimiento de la seguridad de la red Bitcoin.*

¡Buenas tardes Atenas! Muchas gracias por contar con mi presencia hoy. ¿Queréis
disrupción? Yo traigo disrupción. Tengo la auténtica revolución. Hoy, vamos a
hablar de la más excitante, más interesante y probablemente la más importante
invención tecnológica en las ciencias de la computación en los últimos 20 años.
Estoy aquí para hablar de Bitcoin.

Bitcoin es dinero digital, pero es mucho más que eso. Decir que bitcoin es dinero
digital es lo mismo que afirmar que Internet es un teléfono de lujo. Es como decir
que Internet se reduce a utilizar el correo electrónico. El dinero es únicamente la
primera aplicación. Bitcoin es una tecnología, es una moneda (un activo) y es una
red internacional de pagos e intercambios completamente descentralizada. No se
sustenta en los bancos. Tampoco en ningún gobierno.

> *"Decir que Bitcoin es dinero digital es lo mismo
> que decir que Internet es un teléfono de lujo".*

En la historia de la humanidad jamás habíamos construido nada parecido. Esta
invención es verdaderamente revolucionaria. Cuando algún día miremos hacia atrás,
veremos que éste es un momento histórico en la evolución de las ciencias de la
computación, que representa ante todo una revolución social y política actualmente
en marcha. Así pues, comencemos.

Bitcoin, La Invención

Bitcoin es dinero digital. Es dinero al igual que lo son el euro o el dolar, con la
diferencia de que no pertenece a ningún gobierno. Puedes enviarlo desde cualquier

lugar del mundo a cualquier otro destino instantáneamente, con seguridad y por una mínima comisión o incluso gratis. Hace dos días, vimos una de las transacciones de mayor cuantía jamás registradas en la red Bitcoin, en la que alguien transfirió 150 millones de dólares entre dos direcciones Bitcoin, en unos pocos segundos y sin comisión. Sólo por eso, se puede llegar a entender hasta que punto esta tecnología es tan disruptiva en relación a los sistemas de pago internacionales. Pero esto solo es el principio.

Bitcoin es una moneda digital cuya existencia data del año 2008, como una invención de alguien que por entonces se hizo llamar Satoshi Nakamoto. Publicó un trabajo donde aseguraba que había encontrado la manera de crear una red descentralizada en la que podría lograrse el consenso, el acuerdo, sin el control de una autoridad central. Si has estudiado ciencias de la computación o sistemas distribuidos, sabrás que este problema es conocido como el *Problema de los Generales Bizantinos*. Fue descrito por primera vez en 1982. Hasta el año 2008 fue un problema al que no se le había encontrado solución. Entonces, Satoshi Nakamoto dijo, "¡Lo he resuelto!". ¿Os imagináis que es lo que sucedió a continuación? Los que le conocieron, se rieron de él, le ignoraron y no quisieron saber más sobre él. Publicó su trabajo y tres meses más tarde publicó el software que permitiría a la gente comenzar a construir la red Bitcoin.

Bitcoin no es una compañía. Tampoco es una organización. Se trata de un standard o protocolo tal como lo es por ejemplo TCP/IP o Internet. No pertenece a nadie. Su funcionamiento se basa en simples reglas matemáticas que todo aquel que participa en la red acuerda cumplir. A través de este simple mecanismo, a través de esta invención de Satoshi Nakamoto, Bitcoin es capaz de permitir que una red de computadoras completamente descentralizadas acuerden que transacciones han tenido lugar en una red, acordando esencialmente quien tiene el dinero en cada momento.

Así pues, enviar fondos desde una de mis direcciones Bitcoin a la dirección Bitcoin de otra persona, a través de esta, completamente descentralizada red entre iguales, sería parecido a enviar un email. No hay nadie entre el emisor y el receptor. Cada diez minutos, la red al completo acuerda que transacciones han tenido lugar, sin una autoridad centralizada, por una simple elección que ocurre electrónicamente.

Esta particular solución, esta invención, es mucho más importante que la moneda en sí. Una moneda es sólo una aplicación más entre las que pueden construirse en un sistema basado en el consenso descentralizado. Otras aplicaciones incluyen votación descentralizada justa, propiedad de acciones, registro de activos, notarización y muchas otras nuevas aplicaciones en las que jamás hemos pensado antes.

"Esta particular solución, esta invención, es mucho más importante que la moneda en sí. Las monedas son sólo la primera aplicación".

Descubrí Bitcoin por primera vez en el año 2011, y desde la llegada de Internet, jamás me he sentido tan sobrecogido por la inmensa cantidad de posibilidades que he podido llegar a imaginar. Allí estaba yo, ante el nacimiento de Internet, allá por el año 1991 en su fase pre-comercial. Pude ver, con total nitidez, que aquello cambiaría las reglas del mundo, pero nadie entonces me creyó. Hoy, tengo exactamente la misma opinión respecto de Bitcoin.

Algunos de vosotros puede que haya oído hablar de Bitcoin, que como moneda, un día tiene un precio salvajemente alto y al día siguiente su precio baja sin control. He venido aquí para pediros que ignoréis su precio, que dejéis a un lado por un momento bitcoin como *la moneda*, y que nos concentremos en el entendimiento de Bitcoin como *tecnología*, como la *invención*, y como la *red* que con ella se crea. Si algún día acabáramos con bitcoin como moneda, con toda probabilidad inventaríamos una nueva criptomoneda aún mejor. La invención de Bitcoin, la tecnología que lo hace posible, no puede ser desinventada. Dicha tecnología crea las bases para desplegar una *organización descentralizada* a una escala jamás vista antes en este planeta.

"La invención de Bitcoin, la tecnología que lo hace posible, no puede ser desinventada. Dicha tecnología crea las bases para desplegar una organización descentralizada a una escala jamás vista antes en este planeta".

El Dinero de la Gente

Esto es por lo que Bitcoin es tan importante para mi.

En la actualidad, alrededor de un billón de personas cuentan con acceso al sistema bancario, con acceso al crédito, y a capacidades financieras internacionales - principalmente las clases sociales altas, las naciones occidentales. Por otro lado, séis billones y medio de personas en este planeta carecen de acceso a algún tipo de sistema monetario. Ellos se apoyan en sociedades basadas en el efectivo con muy limitado acceso a recursos internacionales. No necesitan bancos. Sin embargo dos billones de personas ya cuentan con acceso a Internet. Descargando simplemente una aplicación, pueden formar parte de una economía internacional de manera inmediata, utilizando una moneda internacional que puede ser transmitida a cualquier lugar del mundo, sin apenas comisiones y sin controles gubernamentales. Pueden entrar en contacto con un mundo de finanzas a nivel internacional y hacerlo completamente entre iguales. Bitcoin es el dinero de la gente. Internamente se rige por simples reglas matemáticas que todo el mundo está de acuerdo en asumir y sobre las que nadie puede ejercer control total. La posibilidad de conectar a esos séis billones y medio de personas al resto del mundo es verdaderamente revolucionaria.

"Bitcoin es el Dinero de la Gente".

Los procesadores de pago se verán afectados. Estas gigantescas corporaciones cargan altas comisiones por enviar dinero a los países más pobres del planeta, una situación de sobre-explotación y corrupción. Estas organizaciones obtienen enormes beneficios por una labor que puede ser realizada mediante Bitcoin casi gratis. Como en su día la moraleja de Internet fue "Acabo de reemplazar toda tu industria con 100 líneas de código Python", eso es exactamente lo que estamos haciendo en este momento con Bitcoin.

Monedas, Negocios y Pagos Internacionales

¿De qué modo podrías usar Bitcoin? Simple y llanamente, bitcoin funciona como una moneda. Podrías comprarla como si fuera moneda extranjera: Te conectas a una casa de cambio [N. del T.: Comúnmente llamadas Exchanges] entre las muchas existentes en la Web, depositas algunos euros y utilizar esos euros para comprar bitcoins al tipo de cambio actual. Sin embargo, esa no es realmente la mejor manera de hacerlo. Somos emprendedores, ¿verdad? Y nos gustaría que las cosas cambiaran de verdad. Pues entonces, lo mejor es dar con un producto o servicio que puedas ofrecer a cambio de bitcoins, comenzando así a *ganar* bitcoins.

Resolviendo los Problemas de los Pagos

Si planeas poner en marcha un negocio en un entorno internacional, existen dos barreras principales para llegar a ser un verdadero negocio global. La primera barrera es que es difícil transportar productos y servicios a través de las fronteras.

Con Internet este problema ha quedado resuelto. Ahora podemos crear productos y servicios que son virtuales, productos que podemos vender en cualquier parte del mundo. Por lo tanto, podemos entregar el producto, pero todavía tenemos un gran problema: ¿Cómo nos pagarán? Bitcoin resuelve este aspecto tan sumamente importante. Nos permite recibir pagos de cualquier parte del mundo, instantáneamente. La red Bitcoin permite a cualquiera enviar una cantidad que puede llegar a ser tan pequeña como una cien-millonésima parte de un bitcoin, lo que a día de hoy representa una cantidad de dinero extremadamente pequeña. Eso es algo que no puedes hacer con el dinero y los sistemas de pago actuales. Las tarjetas de crédito aparecieron en la década de los 50 del siglo anterior y realmente no fueron pensadas para la era Internet. Bitcoin está diseñado para funcionar en la era Internet.

"Las tarjetas de crédito aparecieron en la década de los 50 del siglo anterior y realmente no fueron pensadas para la era Internet. Bitcoin está diseñado para funcionar en la era Internet".

Así que, si de pronto pudierais enviar pagos por importe de una centésima parte de euro, o una milésima parte de euro, podríais vender contenido. Podríais realizar microtransacciones. Podríais cobrar pequeñas cantidades a millones de personas, y al hacerlo en conjunto, obtener un gran volumen monetario. En la misma red en la que podríais enviar pagos por importes de una centésima parte de euro, o una milésima parte de euro, podríais enviar también billones o trillones de euros. La comisión sería la misma, ya que la comisión depende del tamaño de la transacción en kilobytes, no de la cantidad de fondos a transferir en la transacción.

Neutralidad, Delincuentes y Bitcoin

Miremos hacia atrás a Internet y veamos a partir de qué lecciones podemos aprender para comprender la importancia de Bitcoin. Uno de los principios más importantes de Internet es su neutralidad. Internet no distingue entre grandes y pequeñas organizaciones. Desconoce la diferencia entre la CNN y un blogger Egipcio. Permite al blogger Egipcio dirigirse al mundo con la misma capacidad que lo hace la CNN.

Bitcoin es neutral ante el emisor, el receptor y el valor de la transacción. Eso significa que otorga a cada ciudadano, a cada usuario de Bitcoin, la habilidad de innovar en términos de instrumentos financieros, sistemas de pago y banca.

Técnicamente podríais operar al mismo nivel que lo hace el Citibank. Esto es completamente revolucionario.

> *"Bitcoin es neutral ante el emisor, el receptor y el valor de la transacción. Eso significa que otorga a cada ciudadano, a cada usuario de Bitcoin, la habilidad de innovar en términos de instrumentos financieros, sistemas de pago y banca".*

Bitcoin supone toda una revolución para el sistema jerárquico de finanzas internacionales tradicionales. Hasta ahora, ese sistema jerárquico había basado su seguridad en el control de acceso, porque ese es el método principal en el que se basa la confianza en nuestros actuales sistemas de pago, no puedes entrar a menos que seas bien identificado y cacheado de arriba a abajo. Bitcoin crea una red completamente plana y descentralizada, donde cada uno de los participantes es igual a los demás, donde el protocolo es neutral a las transacciones efectuadas y en la cual las innovaciones se trasladan a los márgenes de la misma, potenciando exactamente el mismo fenómeno que ya vivimos con Internet: Innovación sin permiso. No necesitas preguntar a nadie si tu aplicación puede ser publicada en Internet. No necesitas preguntar a nadie para sustituir completamente una industria con tu nueva y más avanzada tecnología. En Bitcoin, no necesitas pedir a nadie que invente un nuevo instrumento financiero, un nuevo sistema de pago, un nuevo servicio. En *tus propias manos* está el hacerlo. Puedes sencillamente escribir el código y automáticamente pasas a formar parte de una red internacional financiera que puede ejecutar tu código y ponerte en contacto con millones de potenciales consumidores.

> *"En Bitcoin, no necesitas pedir a nadie que invente un nuevo instrumento financiero, un nuevo sistema de pago, un nuevo servicio. En tus propias manos está el hacerlo".*

En este momento, esta aún en una etapa temprana. No tenemos todavía bien pulidas las aplicaciones y herramientas. Aún es difícil de utilizar. "Lo utilizan los delincuentes. Es utilizada por varias organizaciones alrededor del mundo y no resulta fácil ver exactamente quien está utilizando Bitcoin". Todo esto, ya lo he

6

escuchado antes. Volviendo atrás al año 1991, Internet era una cueva de ladrones, pornógrafos, piratas y criminales. Pero aquello no importó entonces y tampoco importa ahora. No importa dado que la misma poderosa tecnología que puede ser utilizada por un criminal para promover sus actividades criminales, puede del mismo modo ser utilizada por el resto de nosotros para hacer el bien, para hacer cosas increíbles de alcance mundial. Y somos muchos más que ellos.

Bitcoin crea un entorno completamente preparado para la innovación, ya que no es sólo una moneda; es una tecnología, una red, *y* además de todo eso, también una moneda. Puedo deciros hoy, que estoy encantado de que el precio del bitcoin esté creciendo tanto, ya que tengo algunos bitcoins y eso lógicamente es algo que siempre gusta. Sin embargo, en realidad, lo que menos me interesa es su precio. Si el bitcoin mañana por la mañana se desmoronara, su tecnología seguiría siendo revolucionaria. Al igual que si un sitio web dejara de ser útil en Internet o una aplicación dejara de utilizarse también en Internet, Internet no desaparecería.

> *"Bitcoin crea un entorno completamente preparado para la innovación, ya que no es sólo una moneda; es una tecnología, una red, y además de todo eso, también una moneda".*

Bitcoin como un Mecanismo por el que Optar o No

Si comprendéis que Bitcoin es una tecnología y no únicamente una moneda, podréis verdaderamente captar la importancia que tiene. No está realmente pensada para nosotros, el *primer mundo*. Está más bien pensada para aquellos otros 6 billones y medio de personas. Se trata de la posibilidad de ofrecerle al mundo un nivel de integración financiera que nunca antes había existido. Desde la perspectiva de nuestro mundo privilegiado, es una tecnología fascinante. Podemos crear innovaciones completamente disruptivas. Podemos construir servicios muy interesantes. Pero si eres un agricultor en Kenia, tratando de conseguir dinero para comprar semillas, y ahora puedes acceder a un préstamo en un entorno descentralizado entre iguales, llegando a prestamistas existentes en todo el mundo, esto no es simplemente una tecnología, esto te cambia completamente la vida.

"Se trata de la posibilidad de ofrecerle al mundo un nivel de integración financiera que nunca antes había existido".

La mayor parte del planeta vive bajo regímenes represivos y corruptos con bancos centrales que imponen una hiper-inflación del 30 por ciento al mes. Es mucho más importante ver como Bitcoin podría afectar positivamente en las vidas de toda esa gente. Hay dos billones de personas en Internet y sólo un billón de ellos tienen acceso a cuentas bancarias. Podemos erradicar ese problema. No será fácil, no os equivoquéis. Cuando propones una tecnología disruptiva en mitad de las organizaciones más poderosas del planeta, eso es algo que no les gusta y a lo que, por sistema, se oponen. Ahora mismo, estamos aún en una época temprana. Como dice la expresión, "Primero nos ignoran, después se ríen de nosotros, a continuación luchan contra nosotros, y entonces ganamos". Aún estamos en la fase en la que se ríen de nosotros. Eso está bien, porque concede el tiempo necesario para que cuando se enfrenten a nosotros, ya hayan perdido. Esta tecnología se hizo global con la introducción de más de dos billones y medio de dolares procedentes de inversores Chinos, quienes descubrieron una contra-medida a la dominación mundial de la moneda de reserva global del dolar norteamericano.

Altcoins: Monedas para todo el Mundo

Hay casi 200 monedas en el mundo, pero sólo existe una moneda internacional. Hay casi 200 monedas controladas por bancos centrales y gobiernos, pero sólo existe una moneda matemática actualmente y esa es bitcoin.

"Las monedas Criptográficas van a ser un pilar de nuestro futuro financiero. No puedes desinventar esta tecnología. No puedes convertir esta tortilla en huevos".

Vamos a construir más de ellas. Las monedas Criptográficas van a ser un pilar de nuestro futuro financiero. Van a ser parte del futuro de este planeta porque han sido inventadas. Es tan simple como eso. No puedes desinventar esta tecnología. No puedes convertir esta tortilla en huevos. Ya contamos con unas 100 criptomonedas compitiendo en este espacio, lo que demuestra la rapidez con la que esta innovación está creciendo, incluso más allá de la moneda bitcoin. Existen muchas otras criptomonedas alternativas — las llamadas Altcoins, que utilizan la misma tecnología básica de un libro de activos descentralizado, usando consenso en la red con el algoritmo de Satoshi. Algunas de estas criptomonedas son inflacionarias, otras deflacionarias, algunas usan estadías o tipos de interés negativos, algunas son caritativas y redistribuyen una proporción de los ingresos a organizaciones caritativas.

Podemos inventar dinero sin fin y crear nuevas formas de dinero e instrumentos financieros.

> *"En el fondo, Bitcoin es un nuevo tipo de dinero programable. Cuando cuentas con dinero programable, las posibilidades se tornan infinitas".*

Dinero Programable para Todos Nosotros

En el fondo, Bitcoin es un nuevo tipo de dinero *programable*. Cuando cuentas con dinero programable, las posibilidades se tornan infinitas. Podemos tomar muchos de los conceptos básicos de los sistemas actuales que dependen de contratos legales y los podemos convertir en contratos algorítmicos, en transacciones matemáticas cuya ejecución puede ser forzada en la red Bitcoin. Como ya dije, no hay terceras partes, no existe contraparte. Si elijo enviar valor de una parte de la red a otra, ello se realiza entre iguales sin que nadie intervenga. Si yo invento una nueva forma de dinero, lo puedo ofrecer al mundo entero e invitar a otros a unirse.

> *"Bitcoin es Internet del Dinero. La moneda es solamente la primera aplicación. En su interior, Bitcoin contiene una revolucionaria tecnología que cambiará nuestro mundo para siempre".*

Bitcoin no sólo es dinero para Internet. Si, es una forma de dinero idónea para Internet. Es instantánea, es segura, es libre. Si, es dinero para Internet, pero es mucho más. Bitcoin es Internet del Dinero. La moneda es sólo la primera aplicación. Si captáis eso, podréis poner vuestras miradas por encima de su precio, podréis mirar más allá de su volatilidad, podréis entender que no es ninguna *moda pasajera*. En su interior, Bitcoin contiene una revolucionaria tecnología que cambiará nuestro mundo para siempre.

Uniros a mí en la revolución.

Muchas gracias.

Dinero entre Iguales

Reinventemos el Dinero - Erasmus University; Rotterdam, Países Bajos; Septiembre 2015

Enlace al video: https://www.youtube.com/watch?v=n-EpKQ6xIJs

Mucha gente me pide que hable sobre las novedades sobre Bitcoin, pero sobre lo que yo realmente quiero hablar es de historia antigua. Quiero ofreceros un contexto histórico del dinero y hablaros de la importancia de Bitcoin en ese contexto.

¿Qué Antigüedad tiene el Dinero?

Para empezar, hagamos una pregunta a la audiencia: Si pensáis en el dinero como una tecnología, como un sistema tecnológico que la civilización humana ha inventado, ¿qué edad creéis que puede tener esa tecnología? ¿Se os ocurre algo? *La audiencia responde con respuestas variadas.*

Oigo muchas respuestas diferentes por aquí. No dejo de sorprenderme cuando al hacer esta pregunta la gente me responde con respuestas como, 400 años de antigüedad, 1000 años de antigüedad, 2000 años. La realidad es que desconocemos exactamente de cuando data la invención del dinero. En parte, el motivo por el que lo desconocemos, es porque aún no hemos descubierto una civilización tan antigua que no hubiera llegado a utilizar dinero. Lo que nos permite admitir que el dinero es tan antiguo como lo es nuestra civilización.

> *"El Dinero es tan Antiguo como nuestra Civilización".*

Algo que sorprende a la gente, es que el dinero sea tan *antiguo* como la *escritura*. Esto podemos afirmarlo ya que viendo los descubrimientos arqueológicos sobre la escritura, encontramos jeroglíficos y escritura cuneiforme. Y cuando observamos esas formas antiguas de escritura, adivinad lo que realmente representan. *Dinero*. Son libros de cuentas. Todas las escrituras antiguas que encontramos, las primeras formas de escritura, son *libros contables*. Nos hablan sobre su *dinero*. Por eso, el dinero es más antiguo que la escritura.

¿El dinero es más antiguo que la rueda? No lo sé, pero lo que si sabemos es que las ruedas fueron utilizadas como dinero. Quizá la primera rueda fue vendida a cambio de dinero o fue utilizada como una forma de dinero en sí misma. Lugares arqueológicos que se remontan a la Edad de Piedra, han revelado la presencia de dinero en forma de conchas, plumas y piedras preciosas.

De hecho, podemos enseñar a los *primates* a utilizar dinero. Existen diversos estudios en los que se enseñó a grupos de chimpancés a utilizar dinero. Se les enseñó que un determinado tipo de piedra podría ser intercambiada por plátanos. Más tarde, los investigadores observaron el comportamiento de los chimpancés para analizar lo que harían en su día a día a raíz de este reciente aprendizaje. Los chimpancés enseguida inventaron el robo a mano armada. Se dieron cuenta que si se enfrentaban a otros monos y les quitaban sus piedras, podrían cambiarlas por plátanos. Sorprendentemente, su segundo invento fue la prostitución. Se dieron cuenta que los favores sexuales se podrían intercambiar por piedras, las cuales a su vez podrían cambiarse por plátanos. ¿Qué os dice todo esto acerca de la verdadera naturaleza del dinero?

En mi opinión, lo realmente importante acerca de la naturaleza del dinero es, que el dinero es una *forma de comunicación*. En su esencia, el dinero no tiene valor. El dinero representa una abstracción del valor; es un *medio para comunicar valor*. Es un *lenguaje*. Por lo tanto, el dinero es tan antiguo como el lenguaje, porque la habilidad de comunicar valor es tan antigua como el lenguaje y el propio dinero. A todas luces, el dinero tiene características que hacen de él una construcción lingüística. Es una *forma de comunicación*.

> *"Utilizamos el dinero para comunicar valor a los demás, para expresar a los demás cuanto valor le otorgamos a un producto, servicio o gesto".*

Utilizamos el dinero para comunicar valor a los demás, para expresar a los demás cuanto valor le otorgamos a un producto, servicio o gesto. Lo usamos como la base para nuestras interacciones sociales, porque comunicando valor a los demás, creamos vínculos sociales. Así pues, el dinero es también una *construcción social* muy importante. Es una tecnología antigua. Si, irónicamente, es una de las tecnologías menos estudiadas desde una perspectiva histórica y tecnológica. Observando Bitcoin hoy, representa una invención, una nueva forma de dinero. Pensemos sobre eso por un momento.

Evolución Tecnológica del Dinero

¿Con qué frecuencia, el dinero como tecnología, se ha visto transformado por nuevas invenciones? ¿Cuantas formas de dinero diferentes han existido? A un nivel muy básico, una manera de comunicar valor es a través del intercambio de bienes que consideramos tienen un valor equivalente. "He aquí una cabra. La cambiaré por 20 plátanos". Eso no es dinero, sino realmente una operación de *trueque*, pero representa la primera forma de comunicación de *valor*.

Del Trueque a los Metales Preciosos

Entonces, comenzamos a descubrir formas abstractas de dinero. La primera gran evolución tecnológica fue el intercambio por algo que no pudieras comer. Una pluma, una piedra preciosa, una cuerda con bonitos nudos, algo colorido que pudiera ser utilizado con fines estéticos. Aquí es cuando el dinero comienza a tomar su *forma abstracta*. El momento más importante en la transformación tecnológica del dinero fue cuando dejó de ser un bien tangible de consumo con *valor intrínseco*, para pasar a ser algo que representaba un valor, una abstracción del valor.

> *"El momento más importante en la transformación tecnológica del dinero fue cuando dejó de ser un bien tangible de consumo con valor intrínseco, para pasar a ser algo que representaba un valor, como una abstracción. Una de estas formas de abstracción más populares fue el uso de Metales Preciosos para expresar valor".*

Una de estas formas de abstracción que llegaron a hacerse más populares fue el uso de Metales Preciosos para expresar valor. Los Metales Preciosos combinan algunas de las características más importantes del dinero: dificultad para obtenerlos (*escasez*); *fácil transporte* (al menos en comparación con una piedra gigante o un barril de plumas); *fácil de dividir* (puedes cortar un pedazo de oro en pedazos de menor tamaño y estos a su vez en otros más pequeños); y *apreciación universal* por sus propósitos estéticos. Esta es la segunda transformación más importante del dinero como tecnología. Tuvieron que pasar cientos de miles de años antes de que los Metales Preciosos fueran aceptados como forma de intercambio de valor. Históricamente, comenzamos a ver metales preciosos en el comienzo de las civilizaciones agrarias en la zona de la "Media Luna Fértil" en el Medio Oriente. Los Babilonios, los Egipcios y los Griegos desarrollaron y extendieron el uso de los Metales Preciosos.

13

De los Metales Preciosos al Papel

Dos enormes pasos evolutivos en la tecnología del dinero y sin embargo, a partir de ese momento en la historia, y durante unos pocos miles de años, no se produjeron nuevos cambios. De pronto, surgió una brillante idea: Si le pido a alguien de confianza que custodie mi oro, podría darme a cambio un documento que acredite que mi oro ha sido depositado en dicho lugar de confianza. A partir de ese momento yo podría intercambiar dicho papel por otros bienes en lugar de tener que utilizar mi oro directamente. Sería mucho más fácil de transportar. En la medida que pueda confiar en que mi oro se encuentra seguro en ese lugar y yo pueda acreditarlo mediante un documento, estaré inventando una nueva forma de dinero basada en papel.

Con cada evolución tecnológica del dinero, a la par surge el escepticismo. Pienso sin embargo, que en particular, este pudo ser el momento de mayor escepticismo en la historia de la civilización humana. Para muchísima gente, esta nueva invención del dinero en forma de *papel* fue algo bastante controvertido. ¿Pensáis que actualmente la gente teme a Bitcoin como nueva forma de dinero? Pues imaginaros el susto que se llevaría la gente de entonces cuando les dijeron que a partir de ese momento, en lugar de comprar con oro, lo harían con *papel*. Para una amplísima cantidad de la población de entonces, eso era simplemente impensable. Es evidente que el papel carece de valor real. Supuso cerca de 400 años que el papel, como dinero, fuera aceptado por la mayoría. Aquello fue una gran aberración.

> *"¿Pensáis que actualmente la gente teme a Bitcoin como nueva forma de dinero? Pues imaginaros el susto que se llevaría la gente de entonces cuando les dijeron que a partir de ese momento, en lugar de comprar con oro, lo harían con papel".*

Del Papel al Plástico

Entonces, alrededor de hace unos 60 años, apareció una nueva forma de dinero con el aspecto de *tarjetas de plástico*. En realidad, las primeras tarjetas seguían siendo de papel. En Estados Unidos, Diners Club fue la primera en crear una tarjeta de crédito, que fue una forma de cheque pensada para gente que viajaba a menudo. La gente, cuando iban a pagarle con ella decía, "Eso no es dinero. ¿Porqué no me pagas con el dinero de papel de *toda la vida*?" Aquella fue otra gran transformación del dinero.

Del Plástico a Bitcoin

Ahora, tenemos bitcoin. Bitcoin es, en mi opinión, una transformación bastante radical. Tan radical como el cambio de metales preciosos al papel dinero. Quizá aún más radical. Pero, ¿Qué es Bitcoin? EL problema fundamental a la hora de describir Bitcoin, es que si utilizas referencias a nuestra experiencia previa, esa experiencia se basa en miles de años entendiendo el dinero en una dimensión completamente *física*. Ahora, tratemos de explicar una forma de dinero que es *absolutamente abstracta*. "Se trata de un símbolo, ficha o token que representa su aceptación por parte de todos en una red, una forma de dinero sustentado en una red." Pero esto apenas describe lo que realmente es.

Uno de los malentendidos más habituales cuando intento describir lo que es Bitcoin, es que la gente piensa que es un simple medio de pago, que Bitcoin es sólo una forma de digitalización del dinero. Es dinero digital. Bien, fenomenal. Eso no aporta nada porque ya tenemos dinero digital. Todos vosotros utilizáis dinero digital a diario, e incluso mucho antes de que llegara Bitcoin. Tenéis cuentas bancarias. Esas cuentas bancarias se representan a través de libros contables digitales. Utilizáis esas cuentas bancarias para enviar pagos electrónicamente. Eso ya es dinero digital.

"Bitcoin supone una transformación fundamental de la tecnología del dinero".

Bitcoin no es sólo dinero digital. Bitcoin supone una transformación fundamental de la tecnología del dinero. Es difícil de comprender porque es algo completamente diferente a lo que conocíamos hasta ahora. Asique, voy a afrontarlo de otra manera. Me gustaría hacer un inciso para detenernos ante las arquitecturas de redes.

Hacia una Era Basada en la Red y en el Protocolo

Bitcoin no es un fenómeno aislado. Su aparición coincide paralelamente con un momento de la historia en el que estamos viendo la transformación de muchas instituciones *sociales* fundamentales. Esa transformación es, la gran era basada o centrada en la red.

Durante siglos, las instituciones sociales se han organizado alrededor de estructuras jerárquicas: la instituciones, la democracia, la banca, la educación. Todas nuestras interacciones sociales fueron organizadas a su vez, entorno a la autoridad de cada una de estas jerarquías, entorno a estas burocracias constituidas por personas. Pero algo sucedió con la invención de Internet. Empezamos a ver, que los sistemas cerrados, opacos, las jerarquías complejas irresponsables con las propias reglas de algunas de estas instituciones, se iban transformando cada vez con más frecuencia en plataformas. Comenzamos a ver la introducción de sistemas que ofrecían interfaces, API's (interfaz de programación de aplicaciones) a los que podíamos acceder, y donde la información fluía de dentro a afuera de la organización. Moviéndonos desde las instituciones hacia las plataformas.

Entonces asistimos a una, incluso más importante transformación, cuando comenzamos a movernos desde las plataformas hacia los *protocolos*. Lo interesante acerca de ese cambio de plataforma a protocolo es, que cuando tienes un protocolo no tienes que pasar por una entidad central. El protocolo TCP/IP que gobierna la base de las comunicaciones en Internet, no funciona en exclusiva para un proveedor de servicios de Internet en particular. TCP/IP funciona sin un contexto concreto y en cualquier lugar del mundo. No necesitas crear una cuenta para usar TCP/IP; sólo necesitas usar su lenguaje, seguir su protocolo. Una vez que cambias de plataforma a lenguaje, se te abren todas las posibilidades.

> *"Bitcoin es la primera forma de dinero basada en red y en protocolo. Lo que significa que es ajeno a cualquier contexto institucional o plataforma".*

Bitcoin es la primera forma de dinero basada en red y en protocolo. Lo que significa que es ajeno a cualquier contexto institucional o plataforma. Volveré a este punto más adelante, dado que este es un asunto de verdadera importancia.

Arquitectura de Igual a Igual

Decimos que Bitcoin es dinero *entre iguales*. ¿Qué significa esto? Se refiere a una arquitectura utilizada en términos de ciencias de la computación, redes o sistemas distribuidos, que describe la relación entre los participantes y un sistema. La arquitectura de Bitcoin es de *igual a igual* ya que cada participante en la red habla el *protocolo* Bitcoin a un mismo nivel. En realidad no hay nodos Bitcoin especiales; todos los nodos son iguales.

De igual a igual supone que cuando envías una transacción a la red, todo participante la trata de igual manera. No existe ningún particular contexto dentro del sistema por el que se rige cada participante de la red, más allá de lo que le provee y dicta la propia red. Una cuestión interesante en los sistemas distribuidos, es este aspecto sobre el contexto y el estado. Si accedes a Facebook y tienes una cuenta en Facebook, no estás usando un protocolo. Todo el estado lo controla Facebook. Tu estás conectado y todos los datos son mantenidos por ellos. A esta arquitectura la llamamos *cliente-servidor*. Bitcoin es del todo diferente porque es una red entre iguales, también llamada *peer-to-peer*, al igual que lo son el correo electrónico o el protocolo TCP/IP.

Arquitectura Cliente-Servidor

Somos reacios a hablar de dinero. De hecho, es sorprendente que en casi todos los países, no se nos educa acerca de lo que es el dinero. Los niños de cinco años tienden a hacer preguntas muy relevantes sobre el dinero. A la mayoría de los padres les resulta casi imposible responder a estas cuestiones. "¿Qué es el dinero, Mami? ¿Cómo funciona? ¿Porqué no podemos tener más? ¿Porqué la gente no puede tener más dinero?" Seguramente no responderíais diciendo, "Susy, ¡Vuelve a tu cuarto y estudia bien lo que es la inflación tal como lo haría una buena chica, y no vuelvas hasta que lo hayas comprendido!"

No hablamos de dinero. Es muy curioso. Utilizamos una tecnología como la base de casi todos los aspectos de nuestra interacción social y sin embargo es un tema completamente tabú. Nos enorgullece manifestar públicamente que no nos interesa especialmente el dinero, al menos no intrínsecamente. Tenemos mayores metas y aspiraciones. Lo utilizamos en toda experiencia diaria pero realmente no hablamos sobre ello. Es un tema sucio, que no nos gusta tocar.

En mi opinión, la arquitectura utilizada tiene algo que ver con todo ello. Antes de Bitcoin, la invención previa del dinero, cuando el dinero comenzó a ser emitido a cambio de metales preciosos almacenados bajo fuertes medidas de seguridad, lo que aquello realmente representó fue una forma de *deuda*. Este es un concepto realmente importante que conviene entender porque dará sentido a nuestra discusión.

"Antes de Bitcoin, la invención previa del dinero, cuando el dinero comenzó a ser emitido a cambio de metales preciosos almacenados bajo fuertes medidas de seguridad, lo que aquello representó fue una forma de deuda".

¿Cuántos de vosotros tenéis dinero en el banco? Realmente ninguno de vosotros tenéis dinero en vuestro banco. ¿Guardáis dinero físico en una caja de seguridad en el banco? Si es así, se podría admitir que tenéis dinero en el banco. El resto de vosotros habéis prestado vuestro dinero al banco. Por el privilegio de prestar vuestro dinero al banco, te pagarán el sorprendente interés de un 0,00001% anual. Vuestro banco cogerá ese dinero, le dará un par de vueltas y a continuación se lo prestará a la gente que tenéis a vuestro lado por el 24,99% anual.

> *"Esta es una relación cliente-servidor, ya que el dinero sólo existe en forma de deuda en un libro de cuentas que no controláis. Un libro de cuentas que es almacenado y mantenido por un servidor y, vosotros, sois simplemente clientes. En realidad, no tenéis ningún control en absoluto".*

Esta es una relación cliente-servidor, ya que el dinero sólo existe en forma de *deuda* en un libro de cuentas que no controláis. Un libro de cuentas que es almacenado y mantenido por un servidor y, vosotros, sois simplemente clientes. En realidad, no tenéis ningún control en absoluto. Ni siquiera tenéis interfaces básicas para manejar ese dinero a menos que esa interfaz esté mediada por el servidor. Eso es lo que ofrece una arquitectura cliente-servidor.

Arquitectura Maestro-Esclavo

Contamos con otro término en sistemas distribuidos que describe un tipo particular de arquitectura cliente-servidor, en la que a la parte *esclava* sólo tiene una copia débil que no es realmente significativa. Llamamos a esto una *arquitectura maestro-esclavo*. Si pensáis en la invención anterior del dinero como una arquitectura maestro-esclavo, tendréis que haceros una pregunta poco alentadora: ¿Quien es el esclavo? Porque en un sistema basado en la deuda, una de las dos partes será siempre el esclavo.

> *"... en un sistema basado en la deuda, una de las dos partes será siempre el esclavo".*

Vosotros sois los clientes. Vosotros no sois el servidor. El servidor, realmente no está para serviros a vosotros; está para servirse a sí mismo porque ellos están en la parte maestra de la arquitectura. Esta es la arquitectura del dinero en la que vivimos a día de hoy. Esta es la arquitectura del dinero que utilizamos en nuestra civilización: una arquitectura del dinero donde no tenéis el *control*; una arquitectura del dinero en la que toda interacción es mediada y controlada por una tercera parte que tiene control absoluto sobre ese dinero.

Hoy, si vais a un cajero automático e introducís vuestra tarjeta, el banco decide si os da vuestro dinero. Un día, al igual que la gente de Chipre, Grecia, Venezuela, Argentina, Bolivia, Brasil y una lista de cientos de países en las últimas décadas e incluso siglos, han descubierto, que un buen día, puedes acercarte a tu banco y que el banco puede perfectamente negarse a daros *vuestro* dinero, porque *no están obligados* a hacerlo. Esta es la esencia de una relación Maestro-esclavo.

> *"Bitcoin es fundamentalmente diferente porque en Bitcoin, no debes nada a nadie ni nadie te debe nada a ti. No es un sistema basado en la deuda".*

Bitcoin es fundamentalmente diferente porque en Bitcoin, no debes nada a nadie ni nadie te debe nada a ti. No es un sistema basado en la *deuda*. Es un sistema que se basa en la *propiedad* de este símbolo, ficha o token abstracto. Propiedad absoluta. En Estados Unidos tenemos una expresión que dice "La posesión es nueve décimas partes de la ley." En Bitcoin, la posesión es diez décimas partes de la ley. Si controlas las claves de tus bitcoins, entonces sí son tus bitcoins. Si no controlas las claves de tus bitcoins, no son realmente tus bitcoins, volviendo así de nuevo a la relación maestro-esclavo.

> *"En Bitcoin, la posesión es diez décimas partes de la ley. Si controlas las claves de tus bitcoins, entonces sí son tus bitcoins. Si no controlas las claves de tus bitcoins, no son realmente tus bitcoins".*

Bitcoin, una Transformación Fundamental del Dinero

Bitcoin representa una transformación *fundamental del dinero*. Una invención que cambia la más antigua tecnología de nuestra civilización. Lo hace de manera *radical y disruptiva*, sustituyendo fundamentalmente la arquitectura subyacente por una, en la que todos los participantes *son iguales*. Donde las transacciones no tienen otro estado o contexto que el dictado por las reglas de consenso de la propia red que *nadie controla*. Donde vuestro dinero es *sólo vuestro*. Lo controláis en exclusiva a través de la aplicación de *firmas digitales*, y nadie puede *censurarlo*, nadie puede dominarlo, nadie puede *desarticularlo*. Nadie puede decirte que es lo que debes o no debes hacer con tu dinero.

Se trata de un sistema monetario que es, absolutamente *transnacional* y carece de fronteras. Nunca antes hemos contado con un sistema monetario así. Es un sistema monetario que transmite valor a la velocidad de la luz, en el que cualquier persona en el mundo puede participar con la ayuda de un simple dispositivo telefónico que simplemente soporte mensajes de texto.

Esto representa una innovación tecnológica que asusta a mucha gente porque constituye una *transformación fundamental del dinero*. Os dirán que están preocupados, que están muy preocupados. Dicen que les preocupa que los criminales utilicen Bitcoin. Pero lo cierto es que están mucho más aterrorizados de lo que lo estaremos el resto de nosotros.

Muchas gracias.

Privacidad, Identidad, Vigilancia y Dinero

Barcelona Bitcoin Meetup en el FabLab; Barcelona, España; Marzo 2016

Enlace al video: https://www.youtube.com/watch?v=Vcvl5piGlYg

Hoy, quiero hablaros sobre los conceptos de neutralidad, descentralización, privacidad y sobre lo que hace de Bitcoin un fenómeno tan especial. Me habéis escuchado hablar muchas veces sobre Bitcoin. Cuando menciono la palabra *Bitcoin*, no me estoy refiriendo sólo a la moneda. De lo que hablo es de un concepto mucho más amplio, el concepto de redes *no jerárquicas*, completamente *descentralizadas*, sobre las que poder desarrollar aplicaciones que gestionan tecnológicamente la *confianza*. Si contáis con una red no jerárquica, completamente descentralizada, capaz de ofrecer tecnología aplicada a la confianza, la primera y más lógica aplicación que desarrollaríais sería una moneda. Pero eso sería sólo la primera aplicación.

La Banca: de Libertadora a Limitadora

Estamos reestructurando la sociedad reconstruyendo las instituciones. Tradicionalmente, estas, por diseño, han sido jerárquicas. Fueron una invención nacida en la era de la *industrialización*, un concepto del siglo XVIII pensado para permitir a la gente organizarse y comunicarse a gran escala. Han demostrado ser muy efectivas contra los monopolios de reinos y de los sistemas feudales. Hoy cierran su ciclo.

A veces la gente me pregunta por mi inclinación política y lo cierto es que me resulta difícil de explicar. Pero existe una palabra que define bastante bien mi posición, para mi, soy *un disruptarian o un disruptor*. Al menos cada 30 o 40 años, lo que ha sido establecido, necesita su sustituto. Esto es debido a que, en la medida que algo se consolida, el poder tiende a acumularse, a centralizarse, y cuando el poder se centraliza, la corrupción emerge. Esto no es un concepto nuevo. Mis antepasados — soy Griego — descubrieron que la corrupción aparecía en los sistemas de poder y también aprendieron que un poder absoluto produce una corrupción absoluta. No hay poder más absoluto que el poder sobre el dinero.

"Al menos cada 30 o 40 años, lo que ha sido establecido, necesita su sustituto. Esto es debido a que, en la medida que algo se consolida, el poder tiende a acumularse, a centralizarse, y cuando el poder se centraliza, la corrupción emerge. No hay poder más absoluto que el poder sobre el dinero".

Vivimos en un mundo donde la banca, en su día, fue una gran libertadora. Fue una invención que trasladó las finanzas desde las realezas a la gente de la calle. Este nuevo sistema liberaría a billones de personas. Pasado un tiempo, se concentró, adquirió poder y ese poder desembocó en corrupción. Lo que nos queda hoy no es un sistema libertador y es hora de buscarle sustituto. Bitcoin acabará inexorablemente con la centralización del poder. ¿Porqué?

Resultados Negativos, No Intencionados, debido al Diseño

Una de las cosas que me interesan como científico en computación, trabajando en sistemas distribuidos es, la arquitectura de sistemas. La arquitectura por ejemplo de esta ciudad, es también un tema del todo interesante. La arquitectura de sistemas es lo que al final determina unos resultados.

He trabajado mucho en banca. Son gente afable. Tratan de mantener a sus familias, pagar sus hipotecas y mantener un trabajo estable. Sin embargo, entre ellos, hay algunos *sociópatas* que inevitablemente trepan hacia las más altas posiciones de poder, porque la sociopatía es una ventaja en los *sistemas jerárquicos*. Pero la mayor parte de los problemas con la concentración tradicional de poder entorno al dinero, nada tienen que ver con la maldad de algunas personas. Dicho problemas tienen su origen en el hecho de que estas instituciones, debido a su particular estructura, a su arquitectura, no puede producir los mejores resultados. Producen resultados que no son igualitarios. Producen resultados que son restrictivos. Promueven el nativismo, el nacionalismo, el tribalismo, la estructura de clases, y todas estas cosas hacen que el mundo sea un lugar *más pequeño*.

Las Comunicaciones se Expanden mientras el Acceso a la Banca Disminuye

De hecho, alrededor de estos últimos 15 años, hemos visto a Internet convertirse en un enorme poder para la descentralización de las comunicaciones. Internet ha constituido una gran fuerza liberadora. Pero si observáis el grado de inclusión económica mundial y como funciona la banca actualmente, comprobaréis que no hemos sabido aprovechar esa gran oportunidad. No hemos expandido el acceso a la banca. De hecho, en este momento, estamos retrocediendo. La inclusión económica está disminuyendo.

La razón por la que disminuye es, porque estas estructuras financieras aisladas, su propias arquitecturas, levantan muros: las fronteras nacionales, las estructuras de clase y las diferencias en cómo se trata vuestro dinero y vuestro comercio. Vivimos en un mundo cada vez más global e interconectado. Existe incluso una cultura global emergente a través de Internet. Pero sin embargo, nuestros sistemas financieros son aún parroquiales, insulares y se encuentran divididos.

> *"Vivimos en un mundo cada vez más global e interconectado y sin embargo nuestros sistemas financieros son aún parroquiales, insulares y se encuentran divididos".*

Si los observáis desde la perspectiva de una red, existen sistemas para transmitir pequeñas cantidades de dinero, y por otro lado existen sistemas para transmitir grandes cantidades de dinero. Sistemas de pago para consumidores y sistemas de pago entre empresas. Separados geográficamente. Basados en las fronteras, jurisdicciones legales y los estados nación. Lo que estas estructuras producen, es *separación*. Lo que se traduce en que, como personas, cada vez somos menos y menos libres de realizar transacciones con el resto del mundo. La geopolítica está afectando a las finanzas de manera seria, porque la combinación de estado y dinero no produce los mejores resultados.

Pero estamos a punto de cambiar todo eso.

Nueva Arquitectura, Nuevo Acceso

Lo que la arquitectura de Bitcoin nos brinda, es una nueva forma de organizar el mundo, exactamente de la misma manera que Internet se encargó de universalizar el acceso a las comunicaciones y permitir que todo sistema conectado, pudiera hacerlo exactamente con los mismos privilegios que los demás. Al conectarme a Internet utilizo una dirección IP única, y mis paquetes de datos transitan por la red sin ser tratados de manera diferente a los del resto de participantes conectados. Esto da voz a todo el mundo. Da a todo el mundo el poder de la imprenta a escala global. Bitcoin hará lo mismo *acercando a todo el mundo* el poder de la banca a escala igualmente global.

> *"Lo que la arquitectura de Bitcoin nos brinda, es una nueva forma de organizar el mundo, exactamente de la misma manera que Internet se encargó de universalizar el acceso a las comunicaciones y permitir que todo sistema conectado, pudiera hacerlo exactamente, con los mismos privilegios que los demás".*

Pensad en ello como la Banca de *escritorio*. Con la impresión de escritorio, la publicación de escritorio y los sitios web, las comunicaciones cambiaron. La Banca de escritorio, un nuevo tipo de banca en manos de la gente con la misma capacidad de los bancos más grandes del mundo, pondrá en marcha un proceso de auténtica disrupción.

Imaginad un mundo en el que cualquier persona tenga capacidad, no sólo de ejecutar transacciones, sino también de crear sistemas e instrumentos financieros complejos, sin tener que solicitar el permiso de nadie. Simplemente conectándose a la red, cualquiera podrá poner en marcha una nueva aplicación financiera. Los sistemas actualmente centralizados, sencillamente, impiden hacer eso.

En un sistema centralizado, cuanto más alejado estés de su centro neurálgico, menos control tendrás. Cuanto más te aproximas al sistema y cuanto más asciendes en su jerarquía, el grado de control aumenta y el acceso se ve más limitado. Pero con Bitcoin no es así. Con sistemas como Bitcoin, todos los nodos conectados a la red tienen el mismo nivel de acceso a todos los servicios financieros que brinda la red. En un sistema centralizado, si queréis construir una nueva aplicación, primero tendréis que *pedir permiso*. Ese permiso se otorgará solamente, si dicha aplicación pudiera aplicarse a una población considerable haciéndola así rentable.

En Internet o en Bitcoin, todo lo que se necesita para poner en marcha una aplicación, son dos nodos, dos personas, o dos sistemas. Sólo entre ellos, ya pueden comenzar a comunicarse, a construir sus propios protocolos, sus propios sistemas, y esa aplicación con sólo dos personas utilizándola, es tan válida como cualquier otra aplicación en la red.

La Neutralidad de la Red y la No-Discriminación

Cuando observamos Internet, un malentendido que a menudo se da es, que la gente tiende a pensar que el poder de Internet procede de su habilidad para transmitir información a increíble velocidad. Pero el poder real de Internet procede del carácter neutral de su red. La red neutral es un concepto, por el que Internet no discrimina basándose, ni en el origen, ni en el destino, ni en el contenido.

> *"Bitcoin es la primera red financiera que exhibe neutralidad".*

Bitcoin es la primera red financiera que exhibe neutralidad. En una transacción Bitcoin, a la red no le preocupa el origen, el destino, la cantidad o a que tipo de aplicación financiera se está dando soporte con la transacción. La única cuestión relevante es, ¿Has dado suficiente comisión o propina para hacer uso de los recursos de la red? Si así lo hiciste, tu transacción será valorada y aceptada.

No hay Transacciones Spam en Bitcoin

En este momento estamos viviendo un interesante debate en la comunidad Bitcoin. Quizá alguno de vosotros haya escuchado el término "transacciones spam". ¿Qué es eso de una transacción spam? ¿Qué significa para una transacción ser "spam"? En mi opinión en Bitcoin este término carece de sentido, porque para decidir que transacciones son spam y cuales no lo son, tendríamos que *prejuzgar*. Estaríamos imponiendo, a la misma arquitectura, las opciones que determinan la legitimidad de las aplicaciones. Llegados a esa situación, la cuestión sería, ¿a quien legitimo? ¿al usuario final? En Bitcoin no existen transacciones spam, simplemente porque si una transacción contiene suficiente propina o comisión,   se presupone que el emisor de la transacción consideró que tenía suficiente valor para ser transmitida y por lo tanto, es una transacción *legítima*. Esto reemplaza el concepto de *control de contenido*, en el que se toman decisiones acerca de lo que es bueno, lo que es malo, lo que es legítimo, lo que es ilegítimo, lo que es una aplicación valiosa, lo que no lo es, con un simple *mecanismo de mercado*. Esencialmente, si pagaste un comisión por tu transacción, entonces la democratización financiera de la red, hace que tu transacción sea valorada y que por lo tanto no sea considerada spam.

Dinero Basado en Red

A comienzos de 1970, vimos como el mundo comenzaba a adoptar monedas digitales. Cuando la gente llama a bitcoin "moneda digital", se equivoca. El euro es una moneda digital, el dolar también lo es. Menos del 8% de esas monedas existen en su representación física; el resto son bits en libros contables. Pero la diferencia fundamental, es que esos libros contables están controlados por organizaciones centralizadas, mientras que en Bitcoin eso no sucede. Los pilares de Bitcoin se construyen sobre una red descentralizada y abierta.

"Bitcoin no es una moneda digital. Es una
criptomoneda. Es dinero basado en red".

Bitcoin no es una moneda digital. Es una criptomoneda. Es dinero basado en red. Me fascina la idea del dinero basado en red. Una red que te permite reemplazar la confianza en la instituciones, la confianza en las jerarquías, por la confianza en la red. Una red actuando como un masivo y difuso árbitro de la verdad, gestionando cualquier desacuerdo sobre las transacciones y sobre la seguridad, de un modo en el que nadie posee el control total.

El Sueño del Control Totalitario sobre Todas las Transacciones Financieras

En 1970s, nuestras monedas comenzaron a tornarse digitales. Esto despertó el sueño de los gobiernos por poder algún día controlar todas las transacciones financieras de todos los seres humanos en el planeta, logrando de ese modo que todo fuera visible a las estructuras de poder. Un escenario donde nuestra privacidad desaparece. Un escenario en el que la habilidad para hacer una transacción, te pone inmediatamente bajo la lente de sistemas que te vigilan. Hemos creado un sistema de vigilancia financiera global, un sistema de vigilancia financiera totalitaria en todo el mundo.

"Esto despertó el sueño de los gobiernos por poder controlar algún día todas las transacciones financieras de todos los seres humanos en el planeta, logrando de ese modo que todo fuera visible a las estructuras de poder. Un escenario donde nuestra privacidad desaparece".

Este sistema, el cual requiere de identificación, comprobación del crédito y limitación en el acceso, es el responsable del hecho de que la inclusión económica este retrocediendo. Es el responsable de que 2 billones y medio de personas en el mundo no dispongan de ningún tipo de acceso al sistema bancario. Nos estamos refiriendo aquí únicamente a los responsables de los hogares, sin contar a sus propias familias. Sin contar tampoco a las personas que tienen acceso limitado a la banca con una única moneda, en los límites de sus particulares fronteras. Si los cuentas a todos, suponen billones de billones.

Censura de las Transacciones Financieras

Como miembro de la élite privilegiada del mundo desarrollado, tengo la habilidad de abrir una cuenta de corretaje en 24 horas, vía Internet. Y en tan solo 24 horas, puedo comenzar a negociar en yenes en el mercado de valores de Tokio. Puedo enviar y recibir dinero, a y desde cualquier lugar del mundo, sin límite ninguno. Todo lo que tengo que hacer es sacrificar mi privacidad y mi libertad.

Porque a la vez que puedo hacer todo eso, algo realmente muy poderoso, hay algunas cosas que no puedo hacer. No me refiero a comprar drogas. Eso no es realmente lo interesante. De lo que estoy hablando es de cosas simples, por ejemplo, realizar una donación a una organización activista como WikiLeaks. Hace pocos años, WikiLeaks fue completamente desconectada del sistema financiero mundial, simplemente mediante una presión extrajudicial aplicada a los principales proveedores de pago: Visa, MasterCard, el sistema de transferencias bancarias, PayPal, etc. Sin ningún proceso legal, sin ninguna convicción, y quizá, en mi opinión, sin haber cometido otro crimen más que el de revelar la verdad sobre delitos, WikiLeaks fue apartado y desconectado del sistema financiero mundial. Esto esta sucediendo en este momento no sólo a organizaciones activistas; lo están padeciendo países enteros.

El sueño de los Estados-Nación de crear un sistema financiero totalitario murió el 3 de enero de 2009, con la invención de Bitcoin y el minado de su primer bloque génesis.

> *"El sueño de los Estados-Nación de crear un sistema financiero totalitario murió el 3 de enero de 2009, con la invención de Bitcoin y el minado de su primer bloque génesis".*

El dinero Basado en Red es Resistente a la Censura

Bitcoin es *resistente a la censura*. Puede que hayas oído hablar de este término. No es posible controlar a donde es transmitido el dinero en Bitcoin. No se encuentra conectado ni vinculado con identidades ni geografías. Con Bitcoin, el sueño de la vigilancia al mundo entero, es sencillamente imposible. En Bitcoin, la resistencia a la censura es un mecanismo creado por la neutralidad de su red, por su arquitectura sin jerarquías ni fronteras. La arquitectura neutral que no atribuye ningún significado a la fuente, al destino o al valor trasmitido, es lo hace a Bitcoin resistente a la censura.

Vigilancia invertida (Sousveillance), en lugar de Vigilancia

La privacidad es muy importante pero es un término que a menudo tiene un profundo significado político. Me gusta yuxtaponerlo a otro término, *confidencialidad*. ¿Cual es la diferencia entre privacidad y confidencialidad? En definitiva, en la práctica, en el vocabulario de hoy en día, la privacidad es el derecho de billones de individuos a no ser vigilados. La confidencialidad es el poder que tienen unos pocos para evadir la responsabilidad y no ofrecer transparencia.

Vivimos en un mundo donde toda transacción individual que se realiza a través del sistema financiero, es catalogada, analizada, y transmitida a servicios de inteligencia, en estrecha colaboración, alrededor del mundo, y por el contrario no tenemos ni idea de lo que nuestros gobiernos hacen con nuestro dinero. Los sistemas financieros del poder son completamente opacos. Nuestras transacciones son completamente visibles a través de este sistema de vigilancia. Este mundo está al revés. Bitcoin corrige esto.

La privacidad es uno más de nuestros derechos humanos. La confidencialidad es un privilegio del poder. Necesitamos vivir en un mundo donde tengamos completa, máxima y sólida privacidad para ese billón de personas que en él conviven. Porque pertenece al conjunto de los derechos humanos, porque es la piedra angular de las libertades de, expresión, asociación, discurso político, y de todas aquellas libertades vinculadas a la privacidad. Necesitamos vivir en un mundo en el que la confidencialidad no sea constante y sea fácilmente traspasada, donde los poderes deban afrontar su responsabilidad porque se encuentren bajo el centro de atención de la transparencia. Tenemos que darle la vuelta al sistema y devolverlo a su estado natural.

"La privacidad es uno más de nuestros derechos humanos. La confidencialidad es un privilegio del poder. Necesitamos vivir en mundo en el que la confidencialidad no sea constante y sea fácilmente traspasada, donde los poderes deban afrontar su responsabilidad porque se encuentren bajo el centro de atención de la transparencia".

Una de mis palabras favoritas es una palabra Francesa: *sousveillance*. Lo opuesto a *surveillance* (vigilancia). El significado de surveillance es "observar desde arriba"; Por el contrario, el significado de sousveillance es "observar desde abajo". En el sueño de los estado-nación por controlar todo nuestro futuro financiero, cometieron un grave error de cálculo. Es un infierno de incalculable dificultad para unos pocos cientos de miles de personas, observar todo lo que hacen 7 billones y medio de individuos. ¿Pero que creéis que sucede cuando a los 7 billones y medio se les concede el privilegio de observar? ¿Cuando la arquitectura carcelaria *panóptica* se invierte? Cuando nuestros sistemas financieros, nuestros sistemas de comunicaciones, se vuelven privados y la confidencialidad se convierte en una ilusión que no puede sostenerse? ¿Cuando los crímenes cometidos en nombre de los estados-nación y de las corporaciones más poderosas, son vulnerables a hackers, informadores y filtradores? ¿Cuando de pronto todo sale a la luz? Tenemos una gran ventaja porque el equilibrio natural del sistema, es aquel en el que los individuos pueden tener privacidad, pero en el que los poderes no pueden contar con su preciada confidencialidad. Bitcoin es uno de los primeros pasos en esa dirección.

*"Tenemos una gran ventaja porque el equilibrio
natural del sistema, es aquel en el que los
individuos pueden tener privacidad, pero en
el que los poderes no pueden contar con su
preciada confidencialidad. Bitcoin es uno de los
primeros pasos en esa dirección".*

Bancos para Todo el Mundo

La habilidad de realizar transacciones a través de fronteras, significa que ahora seremos capaces de extender los servicios financieros a billones de personas que actualmente no lo tienen. No necesariamente a través de complicada tecnología. A veces me dirijo a algunos bancos regionales, los cuales no temen a Bitcoin. Me cuentan cosas como, "el 80 por ciento de nuestra población se encuentra a cientos de millas de la sucursal bancaria más cercana, y no podemos atenderlos". En una ocasión, se refirieron a cientos de millas en canoa. Os dejo adivinar que país era. Sin embargo, a día de hoy, incluso en los lugares más remotos de la Tierra, existe alguna torre de telefonía móvil. Incluso en los lugares más pobres de la Tierra, a menudo vemos un pequeño panel solar en una pequeña cabaña, suministrando carga eléctrica a un teléfono Nokia 1000, un dispositivo récord en producción en la historia de la manufacturación, se vendieron billones de ellos. Hoy podemos hacer de cada uno de estos dispositivos, no una cuenta bancaria, sino un banco en sí mismo.

*"No tengo una cuenta de un banco Suizo en mi
bolsillo. Lo que tengo realmente es un banco
Suizo".*

Hace dos semanas, el Presidente Obama, en el South by Southwest (SXSW), el festival anual de tecnología y música en Austin, hizo una presentación y habló de nuestra privacidad. Dijo, "Si no podemos hackear los teléfonos, eso significa que todo el mundo tiene una cuenta de un banco Suizo en su bolsillo". Eso no es del todo cierto. No tengo una cuenta bancaria de un banco Suizo en mi bolsillo. Lo que tengo es un banco Suizo, un banco con la asombrosa habilidad de generar 2 billones de direcciones a partir de una sola semilla, y puedo utilizar cada una de esas direcciones para una transacción diferente. Ese banco se haya completamente protegido y cifrado, e incluso si hackearas mi teléfono, seguiría teniendo acceso a mi banco. Eso representa la *disonancia cognitiva* entre los poderes de la confidencialidad centralizada y el poder de la privacidad como derecho humano que ahora se encuentra a nuestro alcance. Si crees que esta disonancia cognitiva va a ser fácil de asimilar, o que se afrontara sin lucha, estás muy equivocado.

Bitcoin, La Moneda Zombie

Si leéis acerca de Bitcoin, leeréis muchas de las cosas parecidas a las que se dijeron sobre Internet a principios de los 90, "Es un paraíso para pedófilos, terroristas, distribuidores de drogas y criminales". ¿Cuantos de vosotros tenéis bitcoins? ¿Cuantos de los que estáis en esta sala sois terroristas, pedófilos, vendedores de drogas o criminales? *El público se ríe*

Se puede observar que, mientras, que con cierta frecuencia tratan de promover esa historia, quien no ha oído hablar mucho de Bitcoin nota algo importante: Bitcoin aún no está muerto, lo que siempre sorprende dado que cada dos o tres meses aparece un artículo que dice que Bitcoin está muerto. Eso es una publicidad estupenda para Bitcoin. Porque cada vez que alguien escucha que Bitcoin está muerto y tres meses más tarde escucha lo contrario, piensa, "Vaya, eso de Bitcoin tiende a sobrevivir". Llamo a Bitcoin "Internet del Dinero", pero quizá deberíamos llamarlo "La Moneda Zombie". Es una moneda que parece un muerto viviente.

> *"Llamo a Bitcoin "Internet del Dinero", pero quizá deberíamos llamarlo "La Moneda Zombie". Es una moneda que parece un muerto viviente".*

La cuestión aquí, es que estamos creando un sistema que es visto como una amenaza por parte de la mayor industria del mundo, la industria financiera. Al interpretarlo erróneamente de esa manera, esa industria se va a oponer. Van a responder, y no van a dudar en emplear la más común y efectiva táctica emocional, es decir, el miedo. Os tratarán como si fuerais idiotas tratando de persuadiros para que temáis a Bitcoin. Cuando la gente escuche ese mensaje, puede que al día siguiente vengan a uno de estos meetups y conozcan, por ejemplo, un dentista que tiene bitcoins, un arquitecto que también tiene bitcoins, un taxista que usa bitcoins para enviar dinero a su familia, en definitiva, gente normal que utiliza Bitcoin para disfrutar de una gran capacidad y libertad financiera.   Cada vez que ese mensaje es diluido por la *disonancia cognitiva*, Bitcoin gana. Lo único que realmente debe hacer Bitcoin es, *sobrevivir*. Algo que por el momento, está haciendo francamente bien.

Las Monedas Evolucionan

En el nuevo mundo basado en redes de valor, las criptomonedas ocupan nichos evolutivos. Al igual que las especies, evolucionan basándose en estímulos procedentes de su entorno, Bitcoin es un sistema dinámico con muchos desarrolladores de software que facilitan su adaptación. La cuestión es ¿en qué dirección evolucionará Bitcoin? ¿en que nicho ambiental tratará de encajar? y ¿de que manera podrá verse afectado por las posibles acciones de las estructuras de poder? Si deciden atacar a Bitcoin, evolucionará para *protegerse* a si mismo de depredadores, tal como lo haría cualquier otra especie. Si deciden atacar el anonimato grabado en el *ADN* de Bitcoin, evolucionará hacia un anonimato aún más seguro, robusto y efectivo. Si atacan a su capacidad de resistencia, se volverá aún más descentralizado. Al final, a pesar de todos los mensajes que se lancen tratando de difundir el temor, Bitcoin es el osito de peluche de las criptomonedas y no deseas que le suceda nada malo. Porque, como en la evolución, si pisas a la pequeña salamanquesa, evolucionará hasta convertirse en un dragón de Komodo y entonces ya no podrás pisarlo.

Algunas veces la gente me pregunta, "¿Creés que los gobiernos prohibirán Bitcoin? ¿Tratarán de regularlo de un plumazo? Crees que intentarán atacarlo mediante ataques de denegación de servicio?" La respuesta es muy simple dado que los sistemas centrados o basados en una red, son sistemas dinámicos que se adaptan, son aquellos que exhiben anti-fragilidad, haciendo que los ataques que reciben provoquen que el sistema se adapte, evolucione y se haga más resistente. Pensar en ello tan sólo un minuto.

"En los sistemas centrados o basados en una red, los ataques que reciben provocan que el sistema se adapte, evolucione y se haga más resistente".

Los Ataques desarrollan la Resistencia

He estado involucrado en Internet desde 1989. En aquella etapa temprana de Internet, se escribieron un montón de artículos sobre su falta de resistencia, su incapacidad para transportar voz o su poca seguridad. Recuerdo cuando algunos *ataques de denegación de servicio* tiraban Yahoo, AltaVista, e incluso Google durante algunas horas, en ocasiones hasta días. ¿Qué ha sucedido desde entonces? ¿Cuantas veces habéis visto Google fuera de servicio en los últimos cinco años? ¿Creéis que la gente ha dejado de atacar Google? Todo lo contrario. Google ahora es capaz de sostener gigabits por ataques de denegaciones de servicio en cualquier lugar del mundo y desviarlos dinámicamente. Lo mismo ocurre con todas las aplicaciones de Internet. Los ataques nunca cesaron. El sistema se vuelve inmune porque, al igual que el sistema inmune de los humanos, si te expones a un virus y no te mata, te haces resistente, y la próxima vez que te enfrentas al virus, no te hace nada.

¿Intentarán los gobiernos prohibir Bitcoin? ¿Regular Bitcoin? ¿Atacar Bitcoin? Ya lo hacen. Lo han estado intentando, casi desde el principio, lo que hace que Bitcoin reaccione haciéndose aún más fuerte. Es un sistema que se halla bajo un constante *ataque de denegación de servicio*, es un sistema que habita en Internet donde se expone al ataque constante de hackers, agentes y otros sistemas durante las 24 horas del día.

> *"Bitcoin evoluciona haciéndose aún más fuerte. Es un sistema que se halla bajo un constante ataque de denegación de servicio, es un sistema que habita en Internet donde se expone al ataque constante de hackers, agentes y otros sistemas durante las 24 horas del día".*

En seguridad, tenemos un término muy simpático, lo que llamamos un *tarro de miel*. Un tarro de miel es un sistema diseñado para atraer a los hackers. ¿Qué otro tarro de miel podríais encontrar más grande que una red financiera que maneja del orden de 6 billones de dólares? Si sabes como hackear Bitcoin, hay 6 billones de recompensa esperándote a que lo hagas. Nadie ha obtenido aún esa recompensa, y no será porque no lo hayan estado intentado día y noche, durante los 365 días del año. Lo intentan sin cesar. Pero los sistemas como Bitcoin son resistentes.

Bienvenidos al Dinero del Futuro

Recordad que lo que aquí estamos construyendo no es una moneda. Es una reinvención de los sistemas de organización social que tan estrepitosamente han fallado. Los sistemas jerárquicos del siglo XVIII que no han sido capaces de evolucionar hacia un mundo global interconectado, están siendo reemplazados por nuevos sistemas basados en red, arquitecturas planas, no jerárquicas, ya sean por Internet en sí misma o por cualquiera de las aplicaciones que se ejecutan sobre Internet, como lo es Bitcoin. La moneda es sólo la primera aplicación. Cuando dispones de una red que puede ofrecerte confianza neutral, puedes construir una miríada de aplicaciones sobre ella sin necesidad de solicitar permiso a nadie.

Bitcoin es mucho más que una moneda. Cuando digo que Bitcoin es "Internet del Dinero", el énfasis no está en la palabra "dinero", sino en la palabra *Internet*. Bienvenidos al futuro del dinero.

Gracias.

Innovadores, Disruptianos, Inadaptados y Bitcoin

Maker Faire; Henry Ford Museum, Detroit Michigan; Julio de 2014

Enlace al Video: https://www.youtube.com/watch?v=LeclUjKm408

Antes de que esta presentación empezara, los asistentes vieron un video presentado por el museo acerca de la historia del automóvil. Se trata del video al que se hace referencia a lo largo de esta charla.

Buenos días. Ha sido un interesante video, ¿verdad? Hace alrededor de un mes vendí mi coche a cambio de bitcoins. Fue una interesante experiencia, todo un mundo nuevo. ¿Cuantos aquí tenéis bitcoins? De los que no tenéis bitcoins, ¿cuantos habéis oído hablar de Bitcoin? Ok, el *95% de la audiencia* ha oído hablar de Bitcoin. ¿Algún presente no ha oído hablar de Bitcoin? Muy bien, fenomenal, esto va a ser mucho más fácil de lo que pensaba.

Reconociendo la Innovación

Bitcoin es Internet del Dinero, pero es mucho más que eso. Para esta audiencia en particular y para la gente del Maker Faire, hoy quiero hablar acerca de Bitcoin desde la perspectiva de los inadaptados, los bichos raros, los frikis. Las personas que se niegan a pensar como los demás. La gente que ve una, medio terminada, pero a la vez interesante tecnología y no se quedan en si está *medio-acabada*; admiran su aspecto *elegante*. Reconocen la innovación. Y la reconocen, no solo unos pocos meses o años antes que otros, en ocasiones incluso una década antes que los demás. Ese es el tipo de persona que frecuenta los Maker Faire. Por lo tanto es un sitio estupendo para comenzar a hablar de Bitcoin.

Bitcoin supone algo inesperado. Bitcoin no es como el dinero que conocemos. Muchos pensarán que Bitcoin nunca debería haber ocurrido. Y argumentarán que realmente no tiene posibilidades de éxito. Os dirán que nunca llegará a funcionar. Y lo cierto es que Bitcoin es una de esas cosas que, bajo la teoría, no tienen pinta de funcionar, pero que en la práctica si que lo hacen. Como la Wikipedia. Como Linux. Como incluso *Internet*. Ideas extrañas de gente con coleta y corbata. Bichos raros en los que nadie confiaría.

Bitcoin tiene éxito simplemente porque funciona. Como tecnología, es elegante. Quiero hablaros de ese espíritu del desadaptado. Ellos, entran en una sala de juntas de una gran empresa y dicen algo como, "¿Sabéis que? Estamos a punto de *cambiarlo todo_", lo que despierta las risas burlonas de sus compañeros y jefes a sus espaldas. Mientras tanto, ellos, se mantienen firmes a sus ideas, avanzando sin descanso, hasta, que al final, terminan realmente _cambiándolo todo.* Esto sucede en el campo de la tecnología todos los días. Lo único que pasa es que se nos olvida. Terminamos ignorándolo. Reescribimos la historia con sus momentos más brillantes.

Los Peligros de los Automóviles, de la Electricidad y de Bitcoin

Acabamos de ver un video sobre los primeros automóviles de la historia. ¿Sabéis lo que la prensa decía por aquel entonces sobre ellos? Los ridiculizaron. Se burlaron de aquellos primeros coches. Los coches eran entonces más lentos que los caballos. Se averiaban constantemente. Consumían gasolina enormemente cara que además era muy difícil de conseguir. Requerían enormes cantidades de infraestructura para funcionar. La prensa entonces, se concentró en lo que podría hacerles vender más: en los accidentes, en los casos de peatones arrollados por automóviles. Durante más de dos décadas, desde los primeros automóviles, se trató como una historia de infernales, repugnantes, sucias y ruidosas máquinas, muy inferiores a los caballos, que jamás llegarían a ninguna parte, que solo un bicho raro usaría, y que, la mayoría de las veces, acababan con la vida de los ocupantes y de cualquiera que se les acercara.

> *"Durante más de dos décadas, desde los primeros automóviles, se trató como una historia de infernales, repugnantes, sucias y ruidosas máquinas, muy inferiores a los caballos, que jamás llegarían a ninguna parte, que solo un bicho raro usaría, y que, la mayoría de las veces, acababan con la vida de los ocupantes y de cualquiera que se les acercara".*

Esta histeria alcanzó su punto álgido en el Reino Unido en 1865, aprobando una ley llamada La Red Flag Act. La Red Flag Act requería que para cualquier desplazamiento con un vehículo se contara con tres tripulantes *a bordo*: un conductor, un ingeniero, y un hombre portando una bandera. El conductor dirigiría el vehículo, el ingeniero supervisaría dicha operación (al igual que en los ferrocarriles), y el tercero llevaría una bandera roja, corriendo 100 yardas (91,44 metros) por delante del vehículo, con el objeto de ir avisando a los peatones de la inminente llegada de una infernal máquina de la muerte, que cortaría las calles.

¿Podéis imaginaros lo que le ocurrió al Reino Unido? Se descolgaron de la carrera de la futura industria del automóvil, porque, en lugar de ver el potencial de aquella tecnología, permitieron que el miedo dominara su reacción. Impusieron un entorno en el que un coche no debía hacer aquellas cosas que un coche realmente mejor sabe hacer. Si hacéis que un coche circule tan lento como un peatón que circula delante de él con una bandera roja, estáis perdiendo todo su potencial. Si un coche requiere de una tripulación de tres personas para circular, estás perdiendo las ventajas de un coche. Trataron de ver los vehículos bajo la misma perspectiva que los ferrocarriles y los caballos. Se equivocaron. Perdieron la carrera comercial de la emergente industria del automóvil.

Lo que no aparece en este vídeo, es que hasta ese momento, ellos eran los vencedores de esa carrera. El primer coche realmente funcional se construyó en Inglaterra. Ellos ya habían ganado la carrera de la revolución industrial con la máquina de vapor. Por aquel entonces, Inglaterra era una potencia en innovación industrial. Fueron vencedores, hasta que decidieron que aquella sucia máquina debería ser confinada a un espacio muy limitado y a un pequeño conjunto de reglas. Mataron la gallina. no habría más huevos de oro para ellos.

"El primer coche realmente funcional se construyó en Inglaterra. Por aquel entonces, Inglaterra era una potencia en innovación industrial. Fueron vencedores, hasta que decidieron que aquella sucia máquina debería ser confinada a un espacio muy limitado y a un pequeño conjunto de reglas".

Esto es ilustrativo porque sucede una y otra vez en el mundo de la tecnología. Cuando la electricidad fue por primera vez *domesticada* y la gente comenzó a dotar de electricidad a sus hogares, ¿Creéis que la prensa anunció, "¡Esto es fabuloso! ¡Edison es un genio! ¡Esto va a cambiar el mundo!"? No. Lo que dijeron fue, que aquella era una tecnología peligrosa que incendiaría los hogares de la gente. Hicieron correr historia tras historia, sobre electrocuciones a personas y sobre hogares calcinados por las llamas.

"Cuando la electricidad fue por primera vez domesticada y la gente comenzó a dotar de electricidad a sus hogares, ¿Creéis que la prensa anunció, "¡Esto es fabuloso! ¡Edison es un genio! ¡Esto va a cambiar el mundo!"? No. Lo que dijeron fue, que aquella era una tecnología peligrosa que incendiaba los hogares de la gente".

Por supuesto, en realidad no podías usar electricidad por que aquello requería una revisión completa de tu casa. Tendrías que instalar cables por toda tu casa, los mismos cables que acabarían quemándola. Tendrías que adquirir dispositivos nada comunes para conectarlos a esos cables, y todo eso para que después se quemara tu casa. Sólo los ricos podrían permitírselo. Claramente, esta era una tecnología a la que solo podían aspirar las clases adineradas. Aquello era sólo un juguete sin un valor práctico.

El alcalde de París, durante la Exposición Universal de París en 1900, dijo, "Cuando esta exposición haya terminado, esta moda de la electricidad será olvidada tan pronto como sus luces se apaguen". Las últimas palabras famosas son muy comunes en el mundo de la tecnología, palabras, que en retrospectiva, se ven hoy ridículas. Al igual que el jefe de IBM que una vez dijo, "Preveo que no serán necesarias más de cinco computadoras en todo el mundo". Al igual que la gente que dijo que que el teléfono nunca tendría éxito.

"Las últimas palabras famosas son muy comunes en el mundo de la tecnología, palabras, que en retrospectiva, se ven hoy ridículas".

¿Os podéis imaginar lo que la gente está diciendo en este momento sobre Bitcoin? Os dicen que es una tecnología rara y complicada. Una tecnología destinada a los inadaptados, traficantes de drogas, degenerados, pornógrafos, terroristas, ladrones, estafadores. No veo a ninguno de esos en esta sala, pero mejor, tengamos cuidado, no vaya a ser que aparezcan en cualquier momento.

Por supuesto que están equivocados. Bitcoin no tiene nada que ver con esas cosas. Bitcoin es simplemente una tecnología. Como toda tecnología, a menudo su primer uso se le encuentra en manos de los criminales. Uno de los primeros usos de los coches fue darse a la fuga. Los primeros teléfonos fueron utilizados para conspirar. Los primeros telegramas se utilizaron para realizar fraudes a larga distancia y esquemas *Ponzi*. Las primeras formas de electricidad se utilizaron para ejecutar engaños médicos y estafar a la gente. Estas cosas siempre suceden cuando aparece una nueva tecnología y lo mismo sucede con Bitcoin.

"Bitcoin es simplemente una tecnología. Como toda tecnología, a menudo su primer uso se le encuentra en manos de los criminales. Uno de los primeros usos de los coches fue darse a la fuga. Los delincuentes utilizan la tecnología más innovadora porque se mueven en un entorno con grandes márgenes de beneficio y muy alto riesgo".

¿Porqué creéis que los delincuentes utilizan una tecnología como esta? Podríamos ser éticos al respecto y a la vez observar las razones reales. Los delincuentes utilizan la tecnología más innovadora porque se mueven en un entorno con grandes márgenes de beneficio y muy alto riesgo. En tal entorno, la competencia es feroz. Utilizar la tecnología más reciente si ya estás asumiendo un enorme riesgo, no es un gran problema. Y si ganas, te da una enorme ventaja. A través de la historia, las tecnologías más sorprendentes, son adoptadas primero por los delincuentes. No creo que eso sea lo que necesariamente queremos poner en el plan de marketing de Bitcoin, pero resulta interesante ver que hacen los delincuentes, y como una década después termina siendo una tecnología ampliamente aceptada por la sociedad en general. Hay una cierta dinámica ahí.

Bitcoin ya ha superado su etapa inicial y ya no es únicamente territorio de delincuentes. De hecho, posiblemente la delincuencia jamás obtuvo el primer lugar en el ranking de utilización de Bitcoin, a pesar de lo que hayan dicho los medios. Ahora, Bitcoin está llegando a la sociedad en general y las cosas están cambiando muy rápidamente.

*"Con Bitcoin como tecnología, algo
completamente extraordinario está pasando.
Algo de inconmensurables dimensiones va a
impactar nuestro sistema financiero y bancario,
tanto como los coches lo hicieron con la
industria de los caballos, tanto como el petróleo
lo hizo con la industria ballenera, tanto como la
electricidad sacudió la industria de la estufa de
leña".*

Hoy voy a hablar de Bitcoin como tecnología porque algo emocionante está sucediendo. Algo de inconmensurables dimensiones va a impactar nuestro sistema financiero y bancario, tanto como los coches lo hicieron con la industria de los caballos, tanto como el petróleo lo hizo con la industria ballenera, tanto como la electricidad sacudió la industria de la estufa de leña. La banca está a punto de sufrir "su disrupción". Podría admitirse que eso es algo que ya está sucediendo. De hecho, en el momento en el que descubran el verdadero alcance de esta disrupción, el juego ya habrá acabado. Eso es lo que habitualmente sucede en estos casos.

Reacciones Inevitables contra la Innovación

Cuando las bien establecidas y atrincheradas industrias observan por vez primera una tecnología disruptiva, la ignoran porque lo más probable es que no suponga una amenaza para ellas. Desde el beneficio que les otorga la ocupación del sector, desde la alta posición de un establecido negocio monopolístico, estas amenazas parecen niños dando vueltas alrededor. Para JPMorgan Chase, Bitcoin es como un puesto de limonada tratando de hacerse cargo de Walmart (N. del T.: Walmart, es una corporación multinacional de tiendas de origen estadounidense). Si dicha tecnología prosigue su marcha, entonces entran en la siguiente fase en la que comienzan a burlarse de ella. De repente, empiezan a verla por todas partes y comienzan a hacer chistes sobre ella. Así, como con el automóvil, las primeras personas que compraron coches fueron objeto de burla. A menudo se les veía arrodillados con una llave, tratando de reparar sus máquinas que acababan de averiarse una vez más. Esa fue la imagen de los propietarios de automóviles durante los primeros años.

Mientras se burlan, Bitcoin crece y mejora. Pasado un tiempo, se puede observar un cambio. Primero, algunos de los más predominantes de la industria dicen, "Oye, quizá deberíamos experimentar con esto. A lo mejor necesitamos empezar a echarle un ojo". Y entonces se produce la estampida porque de repente descubren que *esto va a cambiar nuestra industria para siempre.*

Pero, para ese momento, es demasiado tarde. En ese instante, se convierten en el nuevo Kodak: Pasando desde el puesto número uno a nivel mundial a, sólo en tres años, ver desaparecer bajo sus pies 12 billones de la industria absorbidos por una compañía de la que jamás habían oído hablar. Una compañía que incluso no había fabricado cámaras hasta entonces. ¿Sabéis quien destruyó Kodak? Una pequeña empresa finlandesa, desconocida hasta entonces para ellos, llamada Nokia. Una empresa que no había fabricado cámaras, hasta que lo hicieron. En sólo tres años construyeron medio billón de cámaras, destruyendo así a Kodak. Tower Records dominó la industria de la música. En tan sólo cuatro años desapareció. ¿Por qué? Por que MP3s ofreció a la gente otra alternativa.

IBM solía ser la más inamovible compañía en la industria de las computadoras. Eran garantía de calidad. De hecho, comprar cualquier cosa que no tuviera la marca de IBM era claramente un signo de perdedor. Entonces apareció Linux. Linux sacudió a IBM en su mismo corazón ya que cambió la idea de que para entregar ingeniería de calidad, para entregar las mejores computadoras posibles para tareas tan serias como banca, ingeniería y operaciones gubernamentales, se necesitaba contar con IBM. Necesitabas un sistema cerrado, controlado y cuidadosamente organizado, construido por serios doctores en ingeniería.

En 1992 cuando Linus Torvalds pensó, "Voy a construir un sistema operativo en mi dormitorio por que no me puedo permitir comprar uno", esa idea parecía completamente descabellada. Los sistemas operativos eran enormes sistemas de alta complejidad, que requerían de miles de ingenieros para desarrollarlos. Linus Torvalds sencillamente empezó; comenzó a construir su sistema operativo. Séis años después, Linux comenzó a dominar la industria de las computadoras y, por aquel entonces, Sun Microsystems empezó a acusarlo profundamente. Ocho años más tarde, Sun Microsystems se dirigía a la bancarrota, HP se hallaba inmersa en un proceso de compra, su división de computadoras estaba cerrando, e IBM fue expulsada del mercado de las computadoras personales.

Ahora, el 80% de los teléfonos móviles en el planeta funcionan con Android, el cual, dicho sea de paso, es un sucesor de Linux. Los servidores a los que se conecta también corren con Linux. Los bancos que usamos diariamente corren con Linux. Los sistemas de entretenimiento que usamos corren con algún derivado de Linux. Los coches que conducimos utilizan también algún tipo de Linux. Hay una manera de saber si un sistema no corre con Linux: por ejemplo, si te muestra esa pequeña ventana azul que te saluda diciendo, *Lo lamento. Se estrelló. Elección incorrecta del sistema operativo.* Te metes en un avión, el sistema de entretenimiento se pone en marcha, está corriendo en Linux. Si le hubieras dicho a un ingeniero de IBM hace 15 años, "Vais a ser destruidos por un sistema operativo construido por un estudiante Finlandés en su propio dormitorio", se hubiera reído de ti.

> *"Si le hubieras dicho a un ingeniero de IBM hace 15 años, "Vais a ser destruidos por un sistema operativo construido por un estudiante Finlandés en su propio dormitorio", se hubiera reído de ti".*

Aquí estamos hoy, y lo queramos o no Bitcoin está reemplazando el sistema bancario, la industria más poderosa del mundo. ¿Lo adivináis? Bitcoin ganará. Ganará por una razón muy simple. No sólo va a ganar por ser mejor. Tampoco ganará sólo por que el sistema bancario no esté en las mejores manos. Bitcoin no va a ganar sólo por que el sistema bancario haya ofrecido unicamente dos innovaciones en los últimos 50 años, los cajeros automáticos y las tarjetas de crédito, y haya dedicado el resto del tiempo a encontrar maneras de sacarle su propia ventaja al sistema. Bitcoin va a ganar por que es abierto. En un mundo lleno de mentes inquietas, de experimentadores, de creadores, lo abierto gana. La razón por la que gana es por que hace que la innovación florezca en sus bordes y no en el centro del sistema.

> *"Bitcoin va a ganar por que es abierto. En un mundo lleno de mentes inquietas, de experimentadores, de creadores, lo abierto gana. La razón por la que gana es por que hace que la innovación florezca en sus extremos".*

Sistemas Abiertos a la Innovación y a la Inclusión

Dejadme explicaros que quiero decir con todo esto. Todo sistema financiero del mundo cuenta con un modelo de seguridad y confianza basado en la exclusión de los actores maliciosos. Yo no puedo conectarme y programar en la red Visa porque al hacerlo podría poner en peligro la seguridad de dicha red. Tampoco puedo conectarme a la red SWIFT, la red mundial para efectuar transferencias interbancarias, porque, de hacerlo así, pondría en peligro igualmente la seguridad de su red. Todas esas redes tienen un diseño cerrado, porque su seguridad principalmente depende del control de acceso. Controlando cuidadosamente cada persona que tiene acceso y que podría tocar el código que en ellas se ejecuta. Controlando cuidadosamente todas las aplicaciones que corren en ese sistema, porque si permitieran a un actor malicioso penetrar hasta el corazón de sus sistemas, su seguridad se esfumaría de un plumazo. Ese actor maliciosos podría tomar el control y hacer y deshacer a su antojo. Por supuesto, en 2008 descubrimos que dichos actores maliciosos, podrían incluso encontrarse en el propio interior de dichos sistemas. Ya los dirigían desde dentro. Arruinaron a millones de propietarios, a millones de jubilados y a millones de ahorradores en todo el mundo, convirtiéndoles en víctimas de su codicia.

"Bitcoin es completamente diferente porque su modelo de seguridad no depende del control de acceso. Depende de una simple fórmula matemática sobre la que sustentan los incentivos y retribuciones mediante los que se asegura la red".

Bitcoin es diferente. La razón por la que es tan diferente no es porque de pronto hayamos encontrado a la gente más honesta del mundo. O porque no existan los intereses particulares en Bitcoin. O porque su red no sea objeto de ataques. Bitcoin es diferente porque, estando acechada por ladrones, la red es objeto de ataques constantes, su seguridad no depende de impedirles el acceso. Depende de una simple fórmula matemática sobre la que se sustentan los incentivos y retribuciones mediante los que se asegura la red. Para participar en Bitcoin y asegurar su red como un minero, la cual es una función especial en Bitcoin, debes utilizar una gran cantidad de poder computacional y consumir una inmensa cantidad de electricidad. Si consigues ganar la carrera, obtienes bitcoins como recompensa. Dicha simple ecuación, crea un sistema de incentivos, con los que se convierte en más rentable *seguir las reglas* que intentar trucar el sistema. Es la llamada Teoría de Juegos. Es, como un Sudoku gigante.

Si lo ves bajo la perspectiva de un científico en computación, o incluso más como un banquero, probablemente dirás, "Eso no puede funcionar. ¿Cómo puedes comparar con un Sudoku gigante, algo en el que todo el mundo compite contra los demás? Eso no tiene ninguna base para asegurar un sistema. Traería el caos". Es como cuando la enciclopedia Británica dijo "¿Qué queréis decir con una enciclopedia que todo el mundo puede editar? Eso sembrará el caos". Si tienes menos de 40 años, esto no te sonará haberlo oído antes.

Bitcoin es una red completamente abierta. Todo el mundo se puede conectar a ella. Podrías escribir una aplicación ahora mismo, subirla a la red Bitcoin, y dotar a la red de una funcionalidad completamente nueva. Podríais escribir un servicio financiero hasta hoy inexistente. Un nuevo instrumento financiero. Cuando haces algo como esto en Bitcoin, no es necesario que te identifiques ante su red, no tienes que pedirle permiso a nadie. No tienes que pasar un control. No tienes por qué ser verificado. La red Bitcoin no tiene porqué temerte porque su seguridad no depende de mantener alejados a los malos actores. En realidad, Bitcoin funcionaría a las mil maravillas con una legión de delincuentes, justo en el núcleo del sistema, porque no existe dicho núcleo en Bitcoin; no hay un centro. Se trata de un sistema Descentralizado. ¿Qué sucede cuando creas una red donde el acceso abierto a los servicios financieros es posible? ¿Donde, por primera vez en la historia, cualquiera puede conectarse y escribir una nueva aplicación?

"Bitcoin es Internet del Dinero y la moneda es sólo su primera aplicación".

Bitcoin no se debe entender como una moneda. Esto es algo realmente importante de lo que todo el mundo debería darse cuenta. La moneda, es unicamente una aplicación que se ejecuta y funciona sobre la red Bitcoin. Bitcoin es Internet del Dinero, y su moneda es tan sólo su primera aplicación. Hoy, existen miles de compañías escribiendo la próxima aplicación. Estas compañías están contratando decenas de miles de expertos, para incorporarlas a una de las más excitantes industrias que hayamos podido ver en las dos últimas décadas. En 2014, las Startups dedicadas a Bitcoin, recibirán más de 250 millones de dólares en inversiones. Lo destacable es que es notablemente más rápido que el ritmo de inversión en Internet en 1995. Estamos por encima de la curva. Bitcoin crece más rápido que Twitter en sus primeros tres años de vida. Bitcoin crece más rápido de lo que creció Facebook en sus primeros años. La razón de esto es, porque todo inadaptado, todo bicho raro, todo friki, o programador en cualquier parte del mundo, puede ahora conectarse a Bitcoin sin necesidad de pedir permiso a nadie, llevar a cabo su rara y extraña idea y construir un nuevo servicio financiero. Una nueva aplicación de banca. Una nueva aplicación con la que poder efectuar compras sin apoyarse en un tercero de confianza. Una nueva aplicación de custodia financiera sin pasar por ningún banco. Y eso es exactamente lo que la gente está haciendo. Están construyendo cosas innovadoras, nuevas, y brillantes. Cosas que jamás vimos en un banco antes. Ideas que no habrían pasado de la primera reunión de planificación en cualquier banco porque antes la habrían echado por tierra.

"Cuando tenéis dos entornos así, uno frente al otro, la banca, donde cualquier paso que deba darse requiere de un permiso, el cual habitualmente no es concedido, y por el otro lado un sistema completamente abierto, donde la innovación aflora en sus márgenes sin solicitar permiso, adivinad quien gana. Adivinad donde emergen las cosas más fascinantes".

Cuando tenéis dos entornos así, uno frente al otro, la banca, donde cualquier paso que deba darse requiere de un permiso, el cual habitualmente no es concedido, y por el otro lado un sistema completamente abierto, donde la innovación aflora en sus márgenes sin solicitar permiso, adivinad quien gana. Adivinad donde emergen las cosas más fascinantes. Esta es la innovación al servicio del consumidor.

"Bitcoin es opcional. Tu elijes utilizarlo. Tu decides que aplicaciones vas a usar. Tu decides con quien interactuar. Tu decides que reglas utilizar para interactuar. Por eso Bitcoin ganará. Porque ofrece la innovación que el consumidor necesita y pide".

Nadie tras Bitcoin trata de encontrar un algoritmo de negociación de alta frecuencia, con el que poder exprimir tres micro-centavos en cuatro micro-segundos más rápido que otros gigantes bancarios que también utilizan algoritmos similares. Tampoco hay nadie detrás de Bitcoin tratando de encontrar la manera de poderte sangrar con tus descubiertos bancarios. Una innovación de la que fue pionero uno de los bancos más grandes e importantes, creo que hacia el 2007. Se percataron de que si te aproximabas al límite de descubierto, si en lugar de ejecutar las transacciones de mayor cantidad en primer lugar, invertían el orden de las transacciones, ejecutando un montón de las de menor importe, terminarías pagando una comisión de 25 dólares por cada una de ellas, y así ellos incrementaban sus comisiones. Este el tipo de innovación a la que dedican todos sus esfuerzos. De ese mismo modo, innovaron muchas otras fórmulas con las que poder apretarles las tuercas a sus clientes.

En Bitcoin, nadie se dedica a ese tipo de innovación. La razón por la que no muestran interés por ese tipo de innovación, es porque en Bitcoin no puedes forzar a nadie a utilizar tu aplicación. Para un banco grande, es *su* red, es su política, utilizáis sus tarjetas de crédito, con sus propias reglas, y si no te gustan, puedes cambiar de banco y descubrir que todos son iguales. Bitcoin es opcional. Tu elijes utilizarlo. Tu decides que aplicaciones vas a usar. Tu decides con quien interactuar. Tu decides que reglas utilizar para interactuar. Si no te gusta una aplicación, no la descargas. Si una aplicación te encanta, la descargas y se lo cuentas a todos tus amigos. Por eso Bitcoin ganará. Porque ofrece la innovación que el consumidor necesita y pide.

Incluyendo a 6 Billones y medio de Personas en una Economía Global

Existe otra buena razón por la que Bitcoin ganará. Hay un gran desequilibrio que la mayoría de la gente aún no ha visto. Todo el mundo en esta sala tiene acceso a una cuenta bancaria sin controles monetarios. Una cuenta bancaria desde la que pueden comprar y vender cualquier moneda del mundo. Una cuenta desde la que pueden transferir dinero a cualquier lugar del mundo. Una cuenta bancaria desde la que pueden acceder a mercados internacionales como la Bolsa de Tokio o la de Alemania. Un mercado desde el que pueden acceder al crédito y a la liquidez. Préstamos para automóviles e hipotecas. Una cuenta bancaria poderosa. Ese poder se encuentra a disposición de alrededor de un billón de personas en este planeta. Un billón de personas que tienen acceso a servicios completos, internacionales y de una alta liquidez.

Hay 2 billones de personas que no tienen ningún tipo de cuenta bancaria. Hay otros 4 billones de personas que tienen un acceso a la banca muy limitado. Bancos sin acceso a monedas internacionales, bancos sin acceso a mercados internacionales, bancos sin apenas liquidez. Bitcoin no es sólo para el primer billón de personas. Bitcoin es sobre todo para los otros 6 billones y medio. La gente apartada de la banca internacional. ¿Que creéis que sucede cuando de pronto eres capaz de transformar un simple sistema de mensajería instantánea de un teléfono en mitad de un área rural de Nigeria, conectado a un panel solar, en un terminal bancario? ¿En un terminal de remesas de Western Union? ¿En un sistema de préstamos internacionales? ¿En una bolsa de Valores? ¿Una generador de IPOs (ofertas públicas iniciales)? Quizá al principio, nada, pero darles unos años.

Hemos visto como el desarrollo de la telefonía móvil desplegada en África, ha sido más rápido que cualquier otra tecnología en toda la historia de la humanidad. Vemos pequeñas aldeas, sin agua corriente, con cocinas de leña, y sin electricidad, en las que sin embargo hay un pequeño panel solar en el techo de la choza de barro, y que dicho panel solar no está ahí para suministrar luz eléctrica. Está ahí para alimentar un teléfono Nokia 1000. Ese teléfono les ofrece el informe del tiempo, el precio de los cereales en el mercado local, y les conecta con el mundo. ¿Qué ocurre cuando ese teléfono se convierte en un banco? Porque, con Bitcoin, puede ser un banco. ¿Que sucede cuando conectas 6 billones y medio de personas a una economía global sin ninguna barrera de acceso?

"¿Que sucede cuando conectas 6 billones y medio de personas a una economía global sin ninguna barrera de acceso?"

Remesas, Impactando Vidas en todo el Mundo

Bitcoin no es una moneda. Bitcoin es Internet del Dinero. Es una tecnología que puede traer la inclusión económica y devolver el poder a billones de personas en el mundo. Os pondré un ejemplo de una aplicación específica que va cambiar fundamentalmente las vidas de más de un billón de persona en los próximos, entre cinco y diez años.

Todos los días, un inmigrante en algún lugar, cobra su salario y se pone a la cola para enviar el 50 por ciento de su salario a su país de origen, para ayudar a su familia que reside allí. Aquí, en los Estados Unidos, 60 millones de personas no tienen cuentas bancarias, cobran sus pagas y las envían al extranjero. En todo el mundo, 550 billones de dólares son transmitidos todos los años desde países del primer mundo, en forma de remesas. Gran parte de ese dinero es enviado principalmente a 5 destinos: México, India, Filipinas, Indonesia y China. En algunos de estos lugares, estas remesas representan más del 40 por ciento de la economía local. Este flujo de 550 billones de dólares es gestionado por compañías como Western Union, cobrando de media, una comisión del 9% de todas y cada una de esas transacciones a la gente más empobrecida del planeta.

"Imaginad lo que sucederá el día que estos inmigrantes descubran que ellos pueden enviar dinero a sus países con Bitcoin, no por un 15%, ni por un 10%, ni tampoco por un 5%, sino por 5 centavos; una comisión fija".

Imaginad lo que sucederá el día que estos inmigrantes descubran que ellos pueden enviar dinero a sus países con Bitcoin, no por un 15%, ni por un 10%, ni tampoco por un 5%, sino por 5 centavos; una comisión fija. ¿Que sucederá cuando lo hagan? Pueden utilizarlo ahora mismo. Existe una startup que ofrece el envío de remesas entre los Estados Unidos y Filipinas. Ellos están facturando unos pocos millones de dólares en este momento, pero van a empezar a crecer. Hay 500 billones de dólares esperando. Cuando eres un inmigrante y puedes cambiar tu futuro financiero evitando tener que pagar un 9% para enviar dinero a casa, imaginad lo que sucede si cada mes, en lugar de enviar 91 dólares a casa, envías 100. Eso supone una diferencia. Hay un billón de personas, en este momento, con acceso a Internet y a teléfonos con capacidades que podrían usar Bitcoin como un servicio de transferencias internacionales.

Bitcoin Cambiará el Mundo

Para resumir, Bitcoin es la tecnología más fascinante que jamás haya visto. Entré en Internet en 1989 cuando aún era un niño. Supe que cambiaría el mundo mucho antes de que la mayoría de la gente lo supiera. Iba diciendo a todo aquel que veía, "Iremos de compras con esto. Podremos ir al banco con ello". Las reacciones de la gente eran bastante predecibles: "Ya, Ok, Andreas, ve a hacer tus deberes, anda, limpia tu habitación". La primera vez que vi Linux dije, "¡Tío! ¡Esto cambiará los sistemas operativos para siempre! ¡IBM perderá su supremacía!" Todo el mundo se reía de mi. Cuando vi el primer navegador web y el primer sitio web, dije, "En menos de una década todas las compañías Norteamericanas tendrán su propio sitio web", e igualmente se rieron de mi. Muy bien, dejadme que os diga una cosa. No sé que pasará con Bitcoin, pero lo que sí sé es que la invención que subyace, un sistema de moneda digital que no se apoya en bancos, ni en gobiernos, que elimina de raíz el control central y que se encuentra disponible para que cualquiera lo utilice sin tener que pedirle permiso a nadie, estar seguros que cambiará el mundo.

Gracias.

Redes Tontas, Innovación y el Festival de los Bienes Comunes

O'Reilly Radar Summit; San Francisco, California; Enero 2015

Enlace al Video: https://www.youtube.com/watch?v=x8FCRZ0BUCw

Al principio del video, Andreas agradece a O'Reilly por estar de acuerdo en publicar su libro, Mastering Bitcoin, bajo licencia open-source. Agradece a la audiencia y a toda la comunidad que ha contribuido a escribir el libro. Se encuentra disponible en Github, Amazon y en bitcoinbook.info

Hoy, quiero hablaros de redes tontas. Quiero hablar de redes inteligentes. Quiero hablar del valor del fenómeno open source cuando se aplica al mundo de las finanzas. Y también quiero hablar sobre el festival de los bienes comunes.

> *"Bitcoin es una moneda, un red, una tecnología.*
> *Y no pueden ser separadas".*

Bitcoin es una moneda, un red, una tecnología. Y no pueden ser separadas. Una red de consenso que basa su valor en una moneda no funcionara sin ella. No puedes crear una cadena de bloques o blockchain sin una moneda con un valor apreciado detrás de ella sobre la que se sustente, y a la vez, la moneda no funcionará si no es en su red. Bitcoin es ambas cosas. Es la convergencia de una red de consenso participativa y una moneda global, transnacional, fungible, rápida y segura. Hoy, quiero hablar un poco sobre la red Bitcoin, centrándome en un concepto que tiene algunos paralelismos con Internet en su fase más temprana.

Redes Inteligentes vs. Redes Tontas

Bitcoin no es una red inteligente. Bitcoin es una red *tonta*. En realidad, es una red bastante tonta. Es una red tonta dedicada a procesar transacciones. Es una red tonta especializada en verificar mediante un lenguaje de scripting muy simple. Su función no es ofrecer un conjunto completo de servicios financieros y productos. No cuenta con mecanismos propios para la automatización ni con características increíbles de serie.

"Bitcoin es sencillamente una red tonta, y esa es una de sus características más fuertes y más importantes".

Bitcoin es sencillamente una red tonta, y esa es una de sus características más fuertes y más importantes. Cuando diseñas redes, cuando realizas tu trabajo diseñando arquitecturas de red, uno de los planteamientos más fundamentales es este: ¿quieres una red tonta que soporte dispositivos inteligentes, o prefieres una red inteligente que soporte dispositivos tontos?

Red Inteligente - Los Teléfonos

La red telefónica fue una red *muy inteligente*. Los teléfonos, en los extremos de dicha red, fueron dispositivos extremadamente tontos. Si alguna vez tuvisteis un teléfono de marcación por pulsos, posiblemente sepáis que ese cacharro no tenía más de cuatro componentes eléctricos en su interior. Era básicamente un interruptor en un alambre con un altavoz unido a él. Podías marcar un número, simplemente presionando y liberando lo suficientemente rápido el pulsador sobre el que se apoyaba habitualmente el auricular, abriendo y cerrando la línea telefónica un número de veces equivalente a cada dígito del número completo a marcar.

El teléfono fue un dispositivo tonto; no tenía ninguna inteligencia. Todo lo que ocurría en la red telefónica sucedía *dentro de* la red. La identificación de llamada fue una función suministrada por la red. La llamada en espera fue una función igualmente ofrecida por la red. Y si querías mejorar la experiencia, tenías que mejorar la red sin necesidad de cambiar los teléfonos. Esta fue un decisión de diseño crítica porque, por aquel entonces, la creencia fue que la redes inteligentes eran mejores porque podías entregar esos increíbles servicios tan sólo actualizando la red para todo el mundo.

"Como resultado del diseño de las redes inteligentes, la innovación sólo se da cuando una función es necesaria para todos los subscriptores de la red, cuando es lo suficientemente convincente como para alterar el funcionamiento de toda la red para actualizarla".

Existe una pequeña desventaja con la redes inteligentes. Sólo pueden ser actualizadas desde dentro hacia afuera. Lo que supone que la innovación sólo pueda darse en su interior, en manos de un sólo desarrollador, y al que habría que pedir permiso. Como resultado del diseño de las redes inteligentes, la innovación sólo se da cuando una función es necesaria para todos los subscriptores de la red, cuando es lo suficientemente convincente como para alterar el funcionamiento de toda la red para actualizarla.

Internet - La Red Tonta

Internet es una red tonta. Tan tonta como un canto rodado. Todo lo que es capaz de hacer es mover datos desde el punto A al punto B. Tampoco se ocupa de qué datos está moviendo. No encuentra diferencias entre una llamada a través de Skype y una consulta a una página web. Desconoce si el dispositivo utilizado es un PC de sobremesa o un teléfono móvil, una aspiradora, un frigorífico, o un coche. Tampoco sabe si ese dispositivo es potente o no. Si puede reproducir contenido multimedia o no. Ni lo sabe, ni le importa.

"Para poner en marcha una nueva aplicación o innovar en una red tonta, todo lo que tienes que hacer es añadir dicha innovación en sus extremos. Dado que una red tonta soporta dispositivos inteligentes, no es necesario cambiar nada en la red".

Para poner en marcha una nueva aplicación o innovar en una red tonta, todo lo que tienes que hacer es añadir dicha innovación en sus extremos. Dado que una red tonta soporta dispositivos inteligentes, no es necesario cambiar nada en la red. Si trasladas la inteligencia a los extremos de la red, una aplicación que tan sólo tenga cinco usuarios, puede ser implementada simplemente con que esos cinco usuarios actualicen sus dispositivos para utilizar dicha aplicación. La red tonta transportará sus datos, porque para ella no hay nada nuevo ni tampoco le interesa detectarlo.

La Red Tonta de Bitcoin

Bitcoin es una red tonta que soporta dispositivos muy inteligentes, y ese es un concepto increíblemente poderoso ya que hace que Bitcoin traslade la inteligencia a los extremos de su red.

No le preocupa si la dirección Bitcoin es la de un multimillonario, la de un banco central, la dirección de un contrato inteligente, la dirección de un dispositivo, o la dirección de un humano. No lo sabe. No le preocupa si la transacción mueve un montón de dinero o una pequeña cantidad. No le interesa si la dirección es de Kuala Lumpur o del centro de Nueva York. Ni lo sabe, ni le interesa.

Sólo mueve dinero de una dirección a otra basándose en un simple script que gestiona el desbloqueo de fondos a transferir. Lo que quiere decir que si quieres construir una nueva aplicación sobre Bitcoin, simplemente debes usarla desde los dispositivos que la necesiten. No hay que pedir permiso a nadie para innovar.
   Escribe la aplicación, utilizala allá donde se necesite y Bitcoin simplemente la enrutará, porque Bitcoin no es una red inteligente.

Este es el poder de la innovación en Internet. Innovación sin permiso. Innovación sin necesidad de aprobación central. Innovación sin actualización de la red. Y esto significa que Bitcoin no es una red financiera específica. No es una red financiera dedicada a transacciones de grandes sumas, ni a transacciones de pequeñas cantidades, o a transacciones rápidas, o a transacciones lentas. Es para lo que tu quieras usarla, basado en lo que tu finalmente elijas hacer.

Comparar esto con la banca actual. La banca actual funciona sobre redes muy inteligentes, absoluta y perfectamente controladas para entregar aplicaciones muy específicas a dispositivos finales muy tontos. Incluso con los servicios bancarios en línea más sofisticados, todo lo que puedes hacer con tu banco es acceder a alguna página web que te ofrece un conjunto de servicios elegidos por ellos mismos. No te ofrecen APIs [N. del T: Application Program Interface, o Interface para el desarrollo de aplicaciones], no te dan la habilidad de poner en marcha aplicaciones adicionales, ni la habilidad de actualizar o innovar o cambiar cualquier cosa a menos que la red al completo cambie para soportar tu nueva aplicación. La banca actual cuenta con redes que procesan pagos de grandes cantidades, con redes dedicadas a pagos de menor tamaño, o con redes especializadas en pagos rápidos, pero no con redes capaces de gestionar todos los tipos de pagos a la vez. Bitcoin, sin embargo, si asume todos los tipos de transacciones existentes, porque no discrimina, es neutral, no le da importancia al tipo de transacción, es una red tonta.

"La banca actual cuenta con redes que procesan pagos de grandes cantidades, con redes dedicadas a pagos de menor tamaño, o con redes especializadas en pagos rápidos, pero no con redes capaces de gestionar todos los tipos de pagos a la vez. Bitcoin, sin embargo, si asume todos los tipos de transacciones existentes, porque no discrimina, es neutral, no le da importancia al tipo de transacción, es una red tonta".

El poder de trasladar la inteligencia a los extremos de la red, o lo que es lo mismo, no asumir decisiones en su corazón o centro, pone la innovación en manos de sus usuarios finales, otorgándoles la habilidad de crear aplicaciones tan especializadas, que tan sólo un pequeño grupo de personas en el mundo las pueda necesitar. Y pueden construir esas aplicaciones sin pedir permiso a nadie.

La Tragedia de Los Bienes Comunes

Pero hay una cosa más que hace de Bitcoin algo realmente único, y es una de las razones por la que sigue sobreviviendo y ganando terreno a las redes centralizadas y cerradas del pasado, y es que Bitcoin es *open source*, es un estándar abierto, y una red igualmente abierta.

Una de los conceptos clave en economía, es la idea de la tragedia de los bienes comunes. Esto sucede cuando tienes un recurso común que puede ser consumido sin límites por todo aquel que participe de él, hasta que un día el recurso se agota y todo el sistema se colapsa. Es un error de mercado llamado "la tragedia de los bienes comunes". El ejemplo más típico de ello lo representan los bienes comunes en el antiguo sentido británico, de un gran terreno cubierto de hierba. En él, tienes un campo donde puede pastar el ganado de todo el mundo, y si el ganado de todo el mundo puede pastar en él, sin medida ni control alguno, más pronto que tarde, tendrás un campo sin pasto y habrás perdido también tu ganado. Al pastar el ganado de todo el mundo sin control alguno, el recurso se termina por agotar.

El Festival de los Bienes Comunes

Bitcoin no sufre de la tragedia de los bienes comunes como lo sufren la mayoría de las redes financieras. Yo no puedo innovar en las redes de otros. Cuando Visa innova, sólo Visa gana. Cuando MasterCard innova, sólo MasterCard gana. Si una nueva característica o función es desplegada o publicada en *SWIFT* no me beneficio como consumidor. Si Bank of America construye algo nuevo y elegante, lo hace con la intención de competir y excluir a todos los demás bancos que no cuentan con esa nueva característica o función.

Bitcoin es un recurso común cuyo uso incrementa su propio valor, sin excluir a nadie. Si una compañía construye una nueva función que puede ser utilizada en Bitcoin bajo licencia open-source, esa función puede entonces ser usada por todo el mundo en el ecosistema. Lo que significa que la innovación enriquece a todos los participantes de la red. Si una compañía invierte dinero en Bitcoin, su protocolo se beneficia, pero también lo hacen todos los demás. Cuando te encuentras en la esfera Bitcoin, obtienes beneficios cada vez que otros invierten en ese mismo espacio. Por lo que, el retorno de la inversión es múltiple. Obtienes esta maravillosa sinergia, cada vez que una compañía que invierte en esta fascinante tecnología, la hace aún mejor para todos los demás. No es un principio de exclusión; en lugar de una tragedia de los bienes comunes, lo que tienes es un festival de los bienes comunes. Unos bienes comunes que mejoran cuanto más compañías lo usan.

"No es un principio de exclusión; en lugar de una tragedia de los bienes comunes, lo que tienes es un festival de los bienes comunes. Unos bienes comunes que mejoran cuanto más compañías lo usan".

El Festival de Los Bienes Comunes 2012-2014

Simplemente observemos algunos de los ejemplos. 2014 supuestamente fue el peor año para Bitcoin. Pero sólo si uno se fija en el precio, porque en 2014 asistimos al nacimiento de dos increíbles tecnologías. La primera fue la firma múltiple o multisig, la cual supuso un ligero cambio al corazón del protocolo de Bitcoin, que permitió que una inmensa cantidad de nuevos servicios y productos se pudieran crear en los extremos de la red. La segunda fueron las carteras jerárquicas deterministas, que no exigieron realizar cambio alguno al núcleo de la red y que nos permitieron disfrutar de esas increíblemente complejas y ricas experiencias en el espacio de las carteras digitales.

Las compañías que inventaron y pusieron en marcha estas dos fantásticas funciones, lo hicieron en 2012, y hoy todos cosechamos sus beneficios. Un completo ecosistema de nuevos productos y servicios han sido construidos sobre estas dos increíbles invenciones. El valor invertido por una compañía hace dos años, emerge y crea una gama completa de productos en una nueva industria dos años más tarde.

En 2014, durante el peor año de Bitcoin, 500 startups recibieron 500 millones de dólares en inversiones, generando decenas de miles de trabajos, y dado que apenas han comenzado a andar, aún ninguna de esas innovaciones han dado todavía sus frutos.   Todos los increíbles avances en tecnología Bitcoin que vimos en 2014 crecieron de invenciones del 2012. Ahora, ¿Qué sucede cuando 500 empresas y 10.000 desarrolladores abordan los mismos problemas? Darnos un par de años y veréis algunas cosas muy sorprendentes en Bitcoin. Y esta, es precisamente la ventaja del festival de los bienes comunes.

Acelerando la Innovación

Mientras los periodistas escriben otro obituario para Bitcoin, lo que mis ojos ven, es un ecosistema en apertura. Veo un ecosistema que genera empleos en una economía que está supuestamente muerta. Veo un ecosistema que cuenta con alguna de las mentes más brillantes que jamás haya visto, creando las innovaciones más fascinantes jamás imaginadas. Y lo más sorprendente de todo esto es que todos nosotros nos beneficiamos de ello. No competimos el uno contra el otro. Participamos del festival de los bienes comunes, y como resultado de ello, podemos ver como la innovación se está acelerando. Ya ha adquirido una velocidad de vértigo y sigue acelerándose.

Coge un ecosistema abierto y descentralizado, con un festival de los bienes comunes, de código abierto, de estándares abiertos, de redes abiertas, y la inteligencia e innovación trasladadas en todas sus formas a los extremos de la red, de manera que los usuarios tomen el control sobre lo que ellos mismos innovan, y sobre como invierten su tiempo, dinero y espíritu en esta tecnología. Pon esto frente a un sistema cerrado, controlado por un proveedor central, cuyo permiso es necesario para poder innovar, y quien unicamente innovará con el objetivo de excluir y competir con el resto de las compañías. Bitcoin y sus derivados se terminarán por imponer.

La gente me pregunta, "Bien, ¿Qué sucedería si Goldman Sachs construyera GoldmanSachsCoin?" y yo les digo, "dejarles construirlo". Si su solución es realmente abierta y descentralizada, habrán probado la eficacia de la filosofía Bitcoin, y entonces podremos irnos todos a casa declarando la victoria. Si por el contrario, su solución es cerrada y no permite la innovación abierta, en pocos meses se estancará, mientras que nosotros continuamos acelerando con más y más innovaciones, alimentándonos mutuamente de nuestras invenciones.

Esto no hay modo de detenerlo. Es por eso que estoy tan encantado de estar en el espacio Bitcoin: una red tonta que pone toda la inteligencia e innovación en sus extremos, para que podamos innovar sin tener que pedir permiso a nadie, y podamos participar en este increíble festival de los bienes comunes.

Gracias.

Inversión de Infraestructura

Zurich Bitcoin Meetup; Zurich, Suiza; Marzo de 2016

Enlace al Video: https://www.youtube.com/watch?v=5ca70mCCf2M

Hoy, quisiera hablar acerca de un concepto al que me gusta llamar *Inversión de Infraestructura*. Voy a hablar sobre como las cosas se transforman cuando una nueva tecnología tiene que echar a andar sobre infraestructuras antiguas, y sobre como eso crea un conflicto, una presión que finaliza en una inversión de infraestructura.

Nuevas Tecnologías sobre Infraestructuras Antiguas

Bitcoin es nuevo. Bitcoin es diferente. Cuando utilizo el término *Bitcoin* aquí, estoy hablando en el sentido más amplio. De lo que estoy hablando es de plataformas descentralizadas apoyadas en red. Estas plataformas pueden ser utilizadas para monedas, pagos, y otras aplicaciones basadas en la confianza. La plataforma podría ser Bitcoin, o alguna otra. En esta charla, utilizaré el término *Bitcoin* para referirme a toda esa categoría que se ha creado. Es nuevo, y de alguna manera estamos tratando de sobre explotarlo frente al sistema bancario existente. El resultado es confuso.

No sólo es confuso, sino que además da alas a aquellos que apoyan el sistema bancario tradicional para decir, "Mira, no funciona. Es lento. No funciona tan bien". Esto no es nuevo. Este es un fenómeno que sucede siempre que aparece toda nueva tecnología disruptiva. En sus primeros años de adopción tiene que apoyarse en las tecnologías existentes, a las que termina desplazando.

> *"Siempre que aparece una nueva tecnología disruptiva, en sus primeros años de adopción tiene que apoyarse en las tecnologías existentes, a las que termina desplazando".*

Echemos la vista atrás para ver como funcionan realmente estas cosas. Cuando leéis sobre tecnologías disruptivas pasados unos 20, 30, o 40 años en el futuro, todo se ve de otra manera. Esto es obvio ya que la *comprensión retrospectiva* proporciona claridad. Por ejemplo, todo el mundo piensa que los automóviles fueron un gran invento en su momento. Y por supuesto, la gente da por hecho que cuando aparecieron los automóviles todo el mundo dijo, "!Genial! Ya no necesitamos utilizar caballos". ¿Verdad? Pues esto no es exactamente lo que sucedió. En lugar de eso, lo que la gente por aquel entonces dijo fue, "Eso es una locura. Esas repugnantes y ruidosas máquinas que probablemente acabarán con todos nosotros, nunca funcionarán. ¿Por qué esos estúpidos ricos jugando con esos locos y ruidosos juguetes quieren usar esas horribles máquinas, cuando tenemos caballos que son estupendos?"

Esto es lo que en realidad sucede a través de la historia cuando aparecen tecnologías disruptivas. Aparece la resistencia. La resistencia es la primera reacción. Los que tienen éxito, son aquellos que continúan, aunque el resto de la sociedad les tome por locos, persiguiendo sus locas ideas: automóviles, electricidad, Internet, Bitcoin. Estos locos pioneros, quienes fueron objeto de burlas por parte del resto de la sociedad, por sus alocadas ideas, persistieron hasta que todo el mundo pudo ver que lo que estaban haciendo era lo correcto.

Infraestructuras para Caballos

Analizando la historia, una de las cosas realmente interesantes para mi, es que al principio, la tecnología disruptiva tiene que vivir en un mundo creado para la tecnología que está reemplazando. El primer vehículo que se condujo por una ciudad, tuvo que circular sobre caminos usados por caballos, con infraestructuras diseñadas para ellos. Sin señales luminosas. Sin señales de tráfico. Sin pavimento.

> *"Estás en una sociedad que usa caballos y tu eres el loco que conduce uno de esos vehículos que no los utiliza".*

Hay algunas cosas de los caballos que los coches no tienen. Esos primeros coches eran de tracción delantera. Así, sólo dos ruedas giraban. Los caballos son vehículos de cuatro patas, lo que les da mucha flexibilidad. Además, cuentan con un gran auto-equilibrio. Existían caminos diseñados para caballos y no estaban pavimentados. Algunos de ellos tenían adoquines, pero la gran mayoría de los caminos no estaban pavimentados. Tampoco eran caminos secos. Por lo general estaban cubiertos de barro y defecaciones de caballo (porque eso es algo que los caballos suelen hacer). Este es el difícil entorno en el que los primeros automóviles tuvieron que ponerse a prueba. Aquello no comenzó con un "Si, genial, hemos inventado el automóvil. Permítanme que les demuestre sus capacidades en la Autovía." En su lugar, los ricos locos que experimentaban con esta tecnología, conducían sus coches por caminos con profundas imperfecciones y baches, por donde igualmente circulaban los caballos. Por caminos no diseñados para automóviles y a veces muy embarrados. Y ¿qué sucedía? Pues que los coches a menudo se quedaban atascados porque no tenían ni el equilibrio ni las cuatro patas de los caballos.

Los detractores decían, "Ya te dije que eso nunca funcionaría. Anda, mírate. Si ni siquiera puedes salir del barro. Además, ¿de dónde vas a sacar gasolina? Sólo hay una estación en toda la comarca. ¿qué pasa si te quedas sin gasolina antes de llegar a la estación? Quiero decir, si tu caballo está hambriento, podrías por lo menos seguir avanzando unos cuantos kilómetros, pero si tu loco artefacto se queda sin gasolina, no hay nada que hacer, ahí te quedas. Del barro, con esfuerzo, quizá logres salir, pero sin gasolina sí que estás completamente tirado. Ese trasto jamás funcionará".

De los Caballos a los Vehículos

A menudo, las nuevas tecnologías, al principio tienen que utilizar la infraestructura de la tecnología que eventualmente reemplazarán. Al principio, los automóviles se veían obligados a usar los caminos pensados para los caballos. De repente, comenzamos a pavimentar esos caminos. Y entonces pasó algo muy interesante. Al pavimentar carreteras y hacerlas adecuadas para los vehículos, la antigua tecnología (los caballos) podían también usarlas. Si quisierais hacer un bonito tour por Zurich montado a caballo, os puedo asegurar que la experiencia sería perfectamente confortable. Los caballos son más confortables sobre el asfalto, como lo son los monopatines, los segways, las motocicletas y las bicicletas, tecnologías todas ellas que entonces no existían. De hecho, para que esas tecnologías pudieran llegar a existir, primero tenía que construirse la infraestructura para los automóviles.

Los caminos llanos y pavimentados no sólo permiten que el automóvil exista y hacen que montar a caballo sea una experiencia más confortable, sino que además abren la puerta a otras nuevas tecnologías. Ahora, tenemos a gente montando en Segways, scooters, monopatines, patines, cochecitos de niño y todas esas cosas que andan moviéndose de acá para allá en nuestras transitadas calles.

Eso es una *inversión de infraestructura*. Comienzas con la nueva tecnología echando a andar sobre la antigua infraestructura y con el tiempo, se invierten los roles. Construyes una nueva infraestructura y la antigua infraestructura sigue funcionando sobre la nueva, sobre la infraestructura que fue creada para la nueva tecnología.

"Eso es una inversión de infraestructura.
Comienzas con la nueva tecnología echando a
andar sobre la antigua infraestructura y con el
tiempo, se invierten los roles".

Veamos más ejemplos.

Infraestructura para el Gas Natural

Una de las grandes cosas de la historia es que algunas de las proclamas más seguras
y confiadas, a menudo son ridiculizadas durante siglos porque son auténticamente
ridículas. Por ejemplo, cuando la electricidad se presentó durante el World's Fair
en París, su alcalde en ese momento dijo, "La electricidad es una moda y tan pronto
como cerremos la feria y derribemos la Torre Eiffel, la electricidad se desvanecerá".
Error por partida doble. La Torre Eiffel sigue en pié y la electricidad entró en
nuestras vidas para siempre.

Pero pensad en el momento en el que la electricidad acababa de aparecer: no
existía infraestructura. Así que, ¿cómo diablos le pondríais electricidad a una casa?
Antes de nada, el único motivo para poner electricidad en tu casa, sería porque
fueras uno de aquellos motivados ricos excéntricos. Probablemente una de esas
mismas personas que comprarían también uno de esos locos automóviles nuevos.
Pondrías iluminación en tus paredes, lo cual sería una locura que seguramente
acabaría incendiando tu casa. Ese es el enfoque informativo que los periódicos de
la época le daban a la noticia. Escribían sobre cualquier posible suceso referente a
viviendas que terminaban incendiadas, relacionándolos con casos de personas que
previamente habían dotado de electricidad a sus viviendas.

¿Cuál era la infraestructura existente en ese momento? En aquel entonces, la
mayor parte de la infraestructura estaba diseñada para suministrar gas. De hecho, la
iluminación por gas en la mayoría de las ciudades era lo más común. Había tuberías
que podían transportar gas, originalmente pensadas para iluminar las calles pero
que iluminaban también las viviendas y alimentaban sus calefacciones. No era
posible utilizar esa misma infraestructura para transportar la electricidad. No podrías
utilizarla para distribuir energía eléctrica a las viviendas.

Al principio, el único uso que se le daba a la electricidad fue realmente para las
fábricas, porque era donde podías hacer mayor uso de ella. Antes de la llegada
de la electricidad a las fábricas, estas utilizaban un enorme motor propulsado por
gas situado en una esquina de sus plantas de producción. La energía que este motor

producía se distribuía a través de una serie de correas y poleas distribuidas por toda la fábrica, a través de las que era posible mantener en marcha todo tipo de mecanismos utilizados en su cadena de producción. Se trataba básicamente de una turbina de gas. La llegada de la electricidad a las fábricas, permitió la distribución de electricidad directamente a todo un conjunto de equipos propulsados por motores eléctricos.

Obviamente, las fábricas podrían beneficiarse de la electricidad, ¿pero por qué utilizarla en los hogares? ¿Por qué utilizar electricidad cuando ya tenían iluminación y calefacción de gas funcionando perfectamente y no existía una infraestructura adecuada para ella?. La infraestructura utilizada para el gas no era reutilizable para la electricidad. Si querías electricidad en las viviendas, no existía otra opción que construir una nueva infraestructura.

Entonces vemos el otro aspecto de este caso de inversión de infraestructura, el cual es, que aquellos que apoyaban económicamente el status quo, criticaban los nuevos proyectos basados en electricidad diciendo, "No existe una red de distribución eléctrica lo suficientemente grande, capaz de crear clientes. Y no hay suficientes clientes que necesiten una red de distribución eléctrica de tales dimensiones. Eso es algo que nunca sucederá". Lo que coincide exactamente con lo que dijeron sobre los coches. Dijeron, "No hay suficientes estaciones de gasolina para llenar el depósito de vuestros coches, ni hay suficientes clientes que justifiquen la existencia de tantas estaciones de gasolina. Eso, jamás sucederá".

Del Gas Natural a la Electricidad

Entonces, la electricidad comenzó a ser utilizada, y la gente descubrió que una vez que has construido la infraestructura necesaria para la electricidad, no sólo puedes aprovechar las nuevas capacidades de la electricidad, sino que además puedes seguir utilizando las mismas aplicaciones que ya te proporcionaba la red de gas. Puedes iluminar y calentar, y en algunos casos, con la electricidad, lo puedes hacer de un modo más eficiente. Pero además ahora puedes utilizar cosas nuevas. Puedes utilizar ventiladores, aire acondicionado, utilizar motores eléctricos, batidoras, secadores de pelo y, en términos generales, las casas no se incendian tan a menudo por causa de la electricidad.

De nuevo, vemos la inversión de infraestructura. Durante los primeros años, tienes que echar a andar sobre la infraestructura antigua. Lo que puede resultar casi imposible. Podrías teóricamente conectar un generador de gas en tu casa, alimentarlo con gas y generar electricidad a nivel local, pero eso no sería muy eficiente. Entonces, se construye la infraestructura para la nueva tecnología, lo que hace que la vieja tecnología resulte bastante más cómoda de usar, la iluminación, la calefacción o los caballos, en el caso de carreteras. Pero además abre la puerta a nuevas aplicaciones antes impensables. Y entonces, el mundo cambia.

> *"Reemplazar las infraestructuras abre*
> *las puertas a nuevas aplicaciones antes*
> *impensables. Y el mundo cambia".*

Infraestructuras para Voces Humanas

Mi tercer ejemplo es un poco más técnico. Aquí tenemos dos tipos de personas, aquellos que tienen más de 35 años y aquellos que tienen menos. Decidme si reconocéis este sonido.

Andreas reproduce el sonido de un módem de acceso telefónico.

Los que tenéis menos de 35 años me miráis como si estuviera loco, y los que tenéis más, os oigo decir, "¡Es un módem! ¡Yo los he utilizado! Así era como nos conectábamos a Internet". Perdonadme ya que vamos a adentrarnos en historia antigua.

Un módem es un modulador-demodulador. Es un dispositivo capaz de transmitir datos a través de líneas telefónicas antiguas. Y esta es la cuestión: si os dais cuenta, la línea telefónica es como un camino de tierra sobre el que estuvierais tratando de conducir un coche.

Una línea telefónica es un sistema diseñado para transportar voz humana. Cuando era adolescente, las líneas eran aún analógicas y contábamos con sistemas de marcación por pulsos. A veces solíamos intentar reproducir música a nuestros amigos a través de la línea telefónica. Si intentasteis eso alguna vez, seguramente descubristeis que no funciona nada bien. La razón por la que no funcionaba, era porque la banda de frecuencias que permite transportar una línea telefónica es muy estrecha.

Como veis, la red telefónica está diseñada para hacer una cosa y sólo una cosa. Está altamente especializada, al igual que la red de gas, que distribuye gas a las viviendas, está diseñada solamente para transportar gas. Ni agua, ni electricidad ni petróleo. Sólo gas, ya que está especializada. El sistema de telefonía estaba diseñado para transportar únicamente voz, y la voz humana es muy específica. La frecuencia principal de nuestra voz es de 1 kilohertzio; estamos cercanos a ese rango, a veces un poco más arriba y otras veces un poco más abajo. Hay personas cuya voz puede ir un poco más allá de ese rango de frecuencias. Los adolescentes tienen voces con frecuencias que incluso a veces no es posible oír. Pero debido al uso especializado de la voz, y dada la dificultad de transmitir voz, especialmente a grandes distancias, los ingenieros redujeron el rango de frecuencias a un rango aceptable. Si permitieras el rango completo de frecuencias, transportarías la voz, pero también transportarías ruidos, interferencias eléctricas a muy altas frecuencias. También escucharíamos zumbidos, interferencias eléctricas de motores a muy bajas frecuencias. ¿Qué sucede si en su línea telefónica se escuchan ruidos estáticos y zumbidos? Se agrega un filtro que corta las bajas frecuencias y otro filtro que corta las altas. Así, la conexión se vuelve más limpia, pero la voz humana suena rara porque está siendo comprimida.

Este canal comprimido hace muy difícil la transmisión de datos, porque cuando se transmiten datos se maneja mucha información, lo que se ve limitado al transmitir sobre una banda de frecuencias muy estrecha. El sonido que se oye en el módem, son en realidad los dos módems, el remoto y el local, tratando de probar el rango de frecuencias disponibles en esta conexión específica. Todos esos ruidos son los módems diciendo, en diferentes frecuencias, "¿Me oyes ahora?" y el otro módem diciendo, "Te oigo. ¿Tu me oyes a mí?" en un sentido y en el otro, una y otra vez, hasta que el rango disponible es establecido.

Esta es una manera inapropiada de realizar transmisiones de datos. Básicamente tienes a dos dispositivos hablándose el uno al otro a través de un canal muy estrecho, intentando de alguna manera comprimir tantos datos como sea posible a través de una pequeña y fina tubería. Entonces, empezamos a mejorarlos y fueron poco a poco haciéndose cada vez más eficaces en su labor.

Las compañías telefónicas no encajaron nada bien este importante cambio: "No hemos diseñado *nuestras* redes para hacer esto. Son el último modelo de una impecable red para las comunicaciones de voz. ¿Qué demonios están haciendo con ella vuestra gente?" De hecho, en mi país de origen, Atenas, Grecia, si intentabas realizar una llamada de larga distancia con el módem, lo que oías, era el principio de la comunicación entre módems y de repente se escuchaba un click. ¿Cómo? ¿Qué había sucedido? Te cortaban la línea si detectaban un módem. ¿Por qué? Porque suponía una competencia para la compañía telefónica. Tal y como hacen hoy los bancos que cierran cuentas de compañías especializadas en Bitcoin. Básicamente lo mismo.

¿Que argumentaron? Dijeron, "Podríamos desplegar conexiones de fibra para datos, cables coaxiales, conexiones directas de datos sobre altos anchos de banda. Pero sobre todo, nadie necesita tanto ancho de banda, porque ¿Qué piensan hacer con tanto ancho de banda? ¿Transmitir voz? Ya tenemos una red para transmitir voz. Y es fantástica. No necesitamos cosas nuevas. En segundo lugar, no tenéis suficientes usuarios como para desplegar cable coaxial. Tampoco tenéis suficiente cable coaxial para crear una base de usuarios. Eso no va a suceder nunca". Exactamente la misma y recurrente repuesta de siempre.

De la Voz a los Datos

Entonces, llegamos a uno de los ejemplos más espectaculares de inversión de infraestructura que jamás haya visto y que pueda recordar. Al principio, Internet fue repudiada y puesta en marcha de mala gana sobre líneas telefónicas. Después, Internet fue utilizada sobre líneas telefónicas de compañías telefónicas, actuando como Proveedores de Servicio Internet o ISPs (Internet Service Providers). Entonces, poco a poco sus conexiones más transitadas o backbones fueron evolucionando hacia la transferencia de datos. Cuando quisieron darse cuenta, toda su red se había vuelto digital. Y en ese momento, toda su red comenzó a operar sobre Internet, haciendo uso de sus protocolos. Empezaron a realizar sus llamadas de líneas telefónicas sobre Internet. Hoy por hoy, toda llamada telefónica que hagas a cualquier parte del mundo es transportada sobre Internet, con algunas excepciones en los tramos finales de la comunicación en algunos países en desarrollo. Toda una Inversión de Infraestructura al completo.

> *" Hoy por hoy, toda llamada telefónica que hagas a cualquier parte del mundo es transportada sobre Internet, con algunas excepciones en los tramos finales de la comunicación en algunos países en desarrollo. Toda una Inversión de Infraestructura al completo".*

Resulta que es extremadamente difícil enviar datos a través de una línea telefónica con un ancho de banda estrecho diseñado para voz, pero si invertimos la ecuación, enviar voz sobre una conexión de datos se convierte en algo trivial. ¿Donde está la diferencia? Una de las redes es altamente especializada. Ella ya ha elegido por ti su aplicación o uso. Su aplicación es transportar voz; transportar datos es la excepción y por lo que es llevada a su límite. La otra red sin embargo es muy genérica. Datos significa cualquier cosa, y la voz es sólo una forma más de las aplicaciones de datos que es transportada cómodamente.

Creo que la última ironía para las compañías telefónicas fue esa cosa tan particular llamada "generación de ruido de confort". Si alguno es ingeniero de telefonía, seguramente sabrá de qué estoy hablando. Es la cosa más irónica. Después de años y años de gente de mi edad, acostumbrada a que su línea telefónica tuviera ruido de estáticas de fondo, cuando empezamos a utilizar telefonía celular y líneas telefónicas digitales empezaron a escucharse sin impurezas sonoras, dejaron de tener ruidos. En el momento en el que el interlocutor de la llamada dejaba de hablar, lo que escuchabas era un completo silencio, por lo que la reacción habitual era, "Vaya, bueno, supongo que habrá colgado".

Pero el interlocutor no colgaba. Estaba allí todavía. No había impurezas sonoras de fondo. Entonces, las compañías telefónicas inventaron la más brillante tecnología de todos los tiempos, la generación de ruido de confort. Se trata de un dispositivo ubicado en el teléfono del usuario, que comprueba si la conexión se mantiene abierta, y si es así, inyecta ruido estático en el auricular del usuario, sólo para hacerle sentir que la otra persona todavía sigue allí. Realmente genera ruido de alta frecuencia a propósito, artificialmente en su extremo, ruido que en realidad no existe en el sistema, de tal modo que no piensas que la otra persona haya colgado la llamada.

Las mismas compañías que dijeron, "Jamás podremos transportar voz de calidad por Internet. No queremos Internet en nuestras líneas telefónicas", inyectan ahora ruido para simular la pésima calidad de la antigua red, porque ahora estamos transportando audio en tiempo real entre continentes con calidad de CD o incluso con superior calidad. Inversión de Infraestructura al completo.

De la Banca a Bitcoin

Ahora tenemos Bitcoin. Tenemos una plataforma descentralizada de gestión de la confianza que puede realizar transacciones a nivel mundial sin intermediarios. Pero aún seguimos viviendo en el viejo sistema. Todavía hoy, nos vemos obligados a utilizar casas de cambio conectadas a cuentas de bancos tradicionales, o a realizar transferencias IBAN, o usar tarjetas de crédito. Hoy, aún estamos conduciendo el automóvil sobre los caminos embarrados y cubiertos de baches de la banca. El súper coche Bitcoin, el Formula Uno de las finanzas, está comenzando hoy a andar sobre los caminos embarrados de la banca basada en los ordenadores mainframe legendarios de los años 70, un camino plagado de baches.

> *"El súper coche Bitcoin, el Formula Uno de las finanzas, está comenzando hoy a andar sobre los caminos embarrados de la banca basada en los ordenadores mainframe legendarios de los años 70, un camino plagado de baches".*

Los bancos dicen, "Esto no funciona. Mirar, tenéis que aplicar la misma regulación que nosotros. Tenéis que aplicar la misma *normativa sobre identidad* que nosotros.

Tenéis que adaptar la velocidad de vuestros sistemas al de la banca tradicional. Esto nunca funcionará. No sólo eso, además no contáis con suficientes usuarios para vuestras infraestructuras, ni tenéis la infraestructura necesaria para atraer tantos usuarios. Así que, está claro que nunca funcionará".

Pero lo que *si* tenemos, al igual que con la electricidad, el automóvil e Internet, es una tecnología con la promesa de miles de nuevas aplicaciones que ellos ni siquiera han podido ni imaginar.

Predigo, que entre los próximos 15 y 20 años, veremos emerger una impresionante inversión de infraestructura en el mundo de las finanzas. Al principio, los bancos se mostrarán resistentes. Después, ellos mismos lo adoptarán. Los bancos utilizarán sus sistemas junto a las tecnologías Blockchain y Bitcoin, y al final, terminarán realizando sus aplicaciones de banca tradicional sobre un libro de cuentas de confianza descentralizado. Porque, aunque pueda resultar muy difícil para la banca tradicional adaptarse a un libro de cuentas de confianza descentralizado, conectar éste con los sistemas de banca heredados o legacy, y simular estos antiguos sistemas legacy sobre el libro de cuentas descentralizado, sobre Bitcoin, una cadena de bloques o Blockchain global, al final será una tarea trivial. Todo lo que hay que hacer es reducir sus capacidades y velocidad. Por ejemplo, puedo crear una aplicación que toma tus transacciones de bitcoins y las finaliza entre tres y cinco días laborables con un coste de 5 dólares, implementando así una operativa de banca tradicional. Se parece a la generación del ruido de confort con la telefonía.

"Entre los próximos 15 y 20 años, veremos emerger una impresionante inversión de infraestructura en el mundo de las finanzas".

Para todos aquellos acostumbrados a la banca de la generación anterior, aquellos quienes dicen, "No me gustan estas finanzas tan veloces. Me resultan incómodas. Quiero sentarme en la mesa de mi cocina todos los domingos, revisar mis cuentas y asegurarme de que no se ha devuelto ninguna operación. No me gustan esas transferencias electrónicas instantáneas y globales. Me dan miedo," no se preocupen, podemos hacerlas más lentas.

Esta inversión de infraestructura, nos permitirá efectuar aplicaciones de banca tradicional cómodamente sobre un libro de cuentas global descentralizado, sobre una cadena de bloques o Blockchain como Bitcoin, probablemente sobre *la* Blockchain abierta de Bitcoin y simultáneamente abrir la puerta a otras aplicaciones, aplicaciones que jamás hemos visto antes. Estas nuevas aplicaciones serán muy diferentes a la banca tradicional. Tan diferentes como lo son un Segway o un monopatín de un carruaje de caballos tradicional. Tan diferente como pasar a la electricidad en una era de iluminación por gas en las casas Victorianas tradicionales. Tan extraño como el ruido generado artificialmente en las comunicaciones de datos de voz de alta calidad a través de Internet, que son capaces de hacer mucho más que eso.

Poner en marcha el futuro sobre sistemas antiguos es muy difícil. Mientras luchas por conseguirlo, todo el mundo señala al futuro diciendo, "Mira. No funciona". Cuando inviertes la infraestructura, simular el pasado en la infraestructura del futuro se convierte en algo extremadamente sencillo.

> *"Cuando inviertes la infraestructura, simular el pasado en la infraestructura del futuro se convierte en algo extremadamente sencillo".*

De lo que formamos parte hoy, es de las etapas tempranas, mientras fijamos nuestras miradas hacia el futuro del dinero, las primeras etapas de la inversión de infraestructura más importante que el mundo jamás haya experimentado.

Gracias.

La Moneda como Lenguaje

Bitcoin Expo 2014; Toronto, Ontario, Canada; Abril 2014

Enlace al Video: https://www.youtube.com/watch?v=jw28y81s7Wo

Esto va a ser un poco más una charla filosófica acerca del futuro de las criptomonedas y sobre lo que he aprendido aquí en este evento. A este evento se le llama La Bitcoin Expo 2014. Se le podría haber llamado La Bitcoin y Ethereum Expo 2014. No sé si os habréis dado cuenta, pero Ethereum ha tenido aquí una gran presencia. Respecto a esto surge una interesante pregunta, por la que muy poca gente me ha preguntado: "¿Supone Ethereum una amenaza para el futuro de Bitcoin? ¿Le roba algo de su protagonismo?" Esas son preguntas que he oído varias veces, y he oído a la gente referirse a este asunto en un intento de comprender las altcoins [N. del T: criptomonedas alternativas a Bitcoin], preguntándose si las altcoins esencialmente amenazan el dominio de Bitcoin, si lo debilitan, o si distribuyen el valor de la red con una amplitud desproporcionada.

Nacido dentro de una Moneda

He pensado sobre esta cuestión profundamente. Pienso que fundamentalmente, estamos ante una cuestión que evoca el viejo paradigma de las monedas tradicionales.   Todos hemos crecido en un mundo en el que las monedas se nos imponen de una manera monopolística, donde las monedas están determinadas estrictamente por las geografías en las que son emitidas, y donde no es posible elegir tu propia moneda.   Al igual que sucede con muchas otras cosas en nuestra vida, se trata de algo que viene determinado por nuestro nacimiento. Como resultado de mi nacimiento, he nacido en el seno de una familia Griega de clase media alta, con la suerte de contar con bastantes privilegios en mi vida. También adquirí el dracma. Nunca tuve la oportunidad de elegir el dracma, al igual que tampoco pude elegir ser un hombre blanco, ni más de lo que pude elegir nacer en una familia de gente educada. Esas cosas simplemente acontecieron en mi vida.

> *"Las Monedas son un artefacto de las naciones-estado. Imponen sobre nuestras vidas grandes restricciones. No elegimos nuestra moneda, ella nos elige a nosotros".*

Las Monedas, tal como las entendemos, son un artefacto de las naciones-estado. Imponen sobre nuestras vidas grandes restricciones. No elegimos nuestra moneda, ella nos elige a nosotros. Nos vemos forzados a utilizar nuestra moneda impuesta en todas nuestras interacciones. No teníamos más alternativa - hasta el año 2008. Desde ese año, vivimos en un mundo muy diferente, pero lamentablemente gran parte del viejo paradigma persiste en nuestras costumbres y formas de pensar.

En un mundo en el que tu moneda es un artefacto monopolístico de la nación-estado, restringido geográficamente, la moneda supone *un juego de suma cero*.

La moneda es la bandera, es la nación-estado en sí misma. Es la expresión del valor económico de tu estado. Define tus interacciones en un mundo geopolítico, inmerso en una lucha global por el dominio entre las naciones. No es una elección individual. No tiene nada que ver con el individuo, a excepción de aquel cuya cara aparece en la misma moneda - hasta hace poco aquí en Canadá, una vieja dama blanca llamada Elizabeth.

La Moneda como Medio de Expresión

Hoy, vivimos en un mundo nuevo, un mundo en el que la moneda es una elección personal, y no únicamente una elección en términos de uso. No se trata sólo de ser capaces de elegir qué moneda usar como individuos. Además es un medio de expresión. Hoy cualquiera de nosotros puede crear una moneda utilizando un simple formulario web.

> *"Hoy, vivimos en un mundo nuevo, un mundo en el que la moneda es una elección, y no únicamente una elección en términos de uso, además es un medio de expresión".*

Mientras pensaba en la evolución de las Altcoins [N. del T.: CriptoMonedas alternativas], tal y como las llamamos, me di cuenta que estaba haciendo las preguntas equivocadas. ¿Cuántas monedas habrá? ¿Cuántas altcoins habrá? ¿De qué modo las altcoins competirán en un mundo de criptomonedas según avanzamos hacia el futuro? ¿Habrá cientos de altcoins? Si hubiera cientos de altcoins, ¿qué supondría para el valor de cada una de ellas? ¿Cómo competirían? Esta era la manera equivocada de pensar sobre este asunto. Yo veía las monedas como *un juego de suma cero*, tal y como era impuesto en mi visión del mundo desde la perspectiva de las naciones-estado que crean dinero. Entonces, comencé a pensar en la moneda como una aplicación. Y fue cuando empecé a ver las monedas como un medio de expresión.

El dinero, en su esencia, es un lenguaje. Es un lenguaje que utilizamos para expresar valor a los demás. Cuando te doy un billete de un dólar, lo que estoy diciendo, es que quiero entregarte ese valor equivalente. Estoy comunicando mi deseo de intercambiar valor contigo, porque aprecio algo que puedes hacer por mi o algo que puedes proporcionarme. Estoy usando dinero como una ficha o token del lenguaje.

> *"El dinero, en su esencia, es un lenguaje. Es un lenguaje que utilizamos para expresar valor a los demás. Cuando te doy un billete de un dólar, lo que estoy diciendo es que quiero entregarte ese valor equivalente. Estoy comunicando mi deseo de intercambiar valor contigo".*

Inventando Monedas en el Patio del Recreo

Esto le sucede a las sociedades humanas, ya tengas moneda oficial o no. Si no tienes una moneda con una cara impresa en ella, la inventas. Una de las cosas que realmente me han cautivado, fue comprender que si tienes un entorno de una escuela primaria, y observas a los niños en su hábitat natural (por cierto un hábitat muy poco natural en la mayoría de escuelas), los niños no tienen monedas, ni saben nada de ellas. Pero inventan monedas. Comienzan a intercambiar. Gomas elásticas, cromos de Pokemon, Tamagotchi, muestras de cariño, cotas de popularidad. Los humanos crean monedas como medios de expresión de sus deseos y de su individualidad. Pensé, ¿Qué sucede cuando un niño de cinco años en una escuela primaria puede usar un sitio web para crear Joeycoin para competir contra Mariacoin en un juego de popularidad dentro de su escuela?

Entonces se me ocurrió: Hacer la pregunta, "¿Cuantas monedas existirán?" es lo mismo que preguntar, "¿Cuantos bloggers existirán en Internet?" La respuesta es simple: todos nosotros.

La moneda es ahora un medio de expresión. Pero si todo el mundo puede ahora crear un moneda, ¿Cómo adquiere su valor y que significado o utilidad tiene? ¿Cuál es la diferencia entre la moneda como una expresión de popularidad, como una expresión de deseo, como un meme, una moda, una marca? Ahí abajo ahora mismo, *Andreas señala fuera del auditorio*, se está celebrando un concurso de ídolos adolescentes canadienses. Uno de los concursantes, Amir, cuenta con un gran grupo de fieles seguidores. Tal vez quiera crear AmirCoin para que sus fans puedan expresar su deseo de verle bailar. ¿Por qué no? La gente me ha sugerido crear AndreasCoin. Creo que es un poco tonto. Pero, ¿Por qué no? Pienso que en algún momento veremos cosas así.

No tendremos cientos de altcoins. No tendremos miles de altcoins. Tendremos cientos de miles, y después, millones de altcoins. Entonces, habrá miles de altcoins que se crearán cada día para organizar comunidades locales, para expresar modas, para crear concursos de popularidad, para codificar el último meme de Internet.

> *"No tendremos cientos de altcoins. No tendremos miles de altcoins. Tendremos cientos de miles, y después, millones de altcoins".*

Autoridad por Producción

Con tantas altcoins, ¿Cómo diferenciar entre las que tienen valor y las que no? Con el fin de tratar de responder a este tipo de preguntas, a menudo reflexiono sobre la aparición del primer sistema descentralizado en mi vida, Internet. Lo que supuso para entender la información, la escasez de información, la opinión y la autoridad de opinión. Lo que nos hizo a nosotros mismos como sociedad cuando Internet apareció en nuestra escena global.

Hubo un tiempo en que si querías acceder a opiniones autorizadas, comprabas un pedazo de papel de una organización que tenía una imprenta de tres pisos de altura y cuatro campos de fútbol de largo y que tenía un nombre largo y rimbombante, como *The New York Times*. Esa organización podía comprar tinta a granel, y a través de la propiedad de esta enorme fábrica, obtenían el peso de la autoridad. Atribuíamos la autoridad a esas instituciones y usábamos esa autoridad para decidir qué opiniones importaban y cuáles no. Los utilizábamos como preservadores de la autoridad creadora de opinión.

Entonces, Internet acabó con todo eso, porque de repente *todo el mundo* podía imprimir, *cualquiera* podía publicar.

Autoridad por Mérito

En los primeros días, la gente preguntaba, "¿Cómo sabremos qué opinión importa si todo el mundo puede publicar su opinión?", "Será el fin", pensaron. Pero sucedió algo sorprendente. Pasamos de un mundo en el que la autoridad y la opinión provenían del emisor, de la autoridad del poder del editor, a un mundo en el que tuvimos que valorar la opinión por sus propios méritos, por el propio contenido de la misma. Llegamos a un mundo en el que *The New York Times* imprime contenido tóxico que hace que una nación entera entre en guerra, y en el que un blogger Egipcio en las líneas de frente de una revolución, hace pública la verdad que otros pretenden ocultar. De repente, el mundo da un vuelco. La autoridad deja de ser quien posee la imprenta. Ahora lo que importa es quien tiene el contenido. Esto mismo es lo que hemos hecho con las monedas.

> *"La autoridad deja de ser la persona que posee la imprenta. Ahora lo que importa es quien tiene el contenido".*

Valorando las Monedas por su Uso

Ahora, la autoridad no se deriva de la soberanía del emisor, de la imprenta de un estado-nación que puede declarar a través del monopolio y el uso de la fuerza que ésta es la moneda que tendrás que usar. Ahora, podemos elegir la moneda y hasta un niño de cinco años puede crear monedas. Tal vez la moneda que el niño de cinco años llegara a crear, pudiera tener valor monetario algún día, o quizá no. Lo más probable es que no. Pero algunos si que lo lograrán. Debemos acostumbrarnos a vivir en un mundo donde tenemos que juzgar las monedas no por quién las emite, sino por quienes las aceptan y aprecian. O más bien, por cuántas personas las usan y para qué las usan.

> *"Debemos acostumbrarnos a vivir en un mundo donde tenemos que juzgar las monedas no por quién las emite, sino por quienes las aceptan y aprecian. O más bien, por cuántas personas las usan y para qué las usan".*

Imaginemos un mundo en el que una moneda se está utilizando de una manera generalizada y nadie recuerda quién la creó ni para qué. Lo único que saben es que dentro de su comunidad local, es una moneda con poder adquisitivo. Como un pequeño pensamiento fantasioso, imaginémonos en una década adelante en el futuro, en un pueblo rural aislado de las naciones desarrolladas, donde los habitantes utilizan dos monedas. Una tiene un Shiba Inu, una raza japonesa de perro, en su anverso y se llama *Dogecoin*. No estoy muy seguro de cómo se pronuncia, aunque no importa, pero se puede comprar media docena de huevos con ella. Los otros habitantes utilizan otra moneda que tiene una señora blanca, de cierta edad, llamada Elizabeth en su anverso. No tienen ni idea de quien es esa señora. No saben como consiguió aparecer en la moneda. Quizá escribió una bonita canción. Tal vez ganó el Canadian Teen Idol. Nadie lo recuerda, pero puedes comprar séis huevos con esa moneda.

A esa gente, no le interesa saber quien emitió la moneda; lo que importa es si tiene poder adquisitivo o no. La moneda se evalúa puramente sobre su base monetaria, debido a su adopción, debido a la aceptación de su uso. Hay una diferencia fundamental entre esas dos monedas. Una cuenta con suministro de monedas basado en un algoritmo predecible y estable. La otra tiene una señora blanca de edad llamada Elizabeth en su anverso. De hecho, una de ellas tiene cierto valor intrínseco real porque se ha despojado de la incertidumbre del sistema monetario. La otra sin embargo no.

Necesitamos estar preparados para vivir en un mundo en el que múltiples monedas coexistirán.

Múltiples Monedas Coexistiendo

Las monedas como medio de expresión, las monedas como herramienta del lenguaje, no son ya competencia del emisor. Depende de nosotros como individuos la elección de nuestras monedas y otorgarles su valor a través del uso que les demos. Le otorgamos valor a través de la adopción. Nos sorprenderán algunas de las monedas que surgirán de, una moda, una broma, quizás una broma tonta, y explotarán en la conciencia viral en Internet, para luego convertirse en poderes monetarios reales en uso en una amplia población.

¿Cómo operaremos en un mundo así? ¿Qué significará la competencia entre monedas si habrá millones? ¿Qué pasará si la escasez digital realmente cobra relevancia, pero sólo en una base local y sólo en el contexto de cada una de estas monedas? ¿Qué pasará si dicha escasez no es controlada por el emisor, sino que es el resultado mismo de la adopción de la propia ficha o token?

"Las monedas como medio de expresión, las monedas como herramienta del lenguaje, no son ya competencia del emisor. Depende de nosotros como individuos la elección de nuestras monedas y otorgarles su valor a través del uso que les demos".

Vamos a tener monedas para diferentes usos. Ya tenéis Bitcoin, que proporciona una política monetaria muy específica. Tenéis Ethereum que puede proporcionaros una plataforma para la ejecución automática de contratos. Está Namecoin para la convención de nombres distribuida. Hay muchas otras, y habrá más que resolverán otro tipo de problemas: plegamiento de proteínas, la búsqueda de vida extraterrestre. Probablemente tengamos monedas mejor diseñadas para microtransacciones y micropagos con resolución muy rápida. Tal vez tengamos monedas orientadas a transacciones grandes, como bienes inmuebles. Quien sabe. Si pensáis en la moneda como una aplicación, entonces os daréis cuenta de sus infinitas posibilidades.

En Internet, el correo electrónico fue el abuelo de todas las aplicaciones. El correo electrónico, como Bitcoin, fue la aplicación asesina que nos permitió descubrir el poder de las comunicaciones descentralizadas y adoptar aquella, entonces nueva plataforma, llamada Internet. El correo electrónico fue suficiente para proporcionar la utilidad necesaria para difundir Internet en todo el mundo, pero fue sólo la primera aplicación. Luego, fueron apareciendo, la mensajería instantánea, los foros, los tablones de anuncios, Facebook, Twitter. ¿Os preocupa que Twitter pueda acabar con el correo electrónico? ¿Que Facebook destruya la mensajería instantánea? ¿Os preocupa que la utilidad del correo electrónico se vea menguada de alguna manera por la existencia de Twitter? No nos preocupamos por estas cosas porque entendemos que cada una sirve a un propósito diferente. Algunas nos permiten expresarnos a través de una modalidad de comunicación instantánea y en tiempo real. Algunas nos permiten tener una comunicación asimétrica, por ejemplo, usando Twitter puedo dirigirme a una audiencia de miles de personas y recibir comentarios en tiempo real, sin tener que tener una comunicación bidireccional y síncrona. Otras, como el correo electrónico, nos permiten mantener comunicaciones asíncronas a largo plazo entre personas.

Lo que hacemos es construir interfaces, construir abstracciones, construir herramientas unificadoras, que nos permitan usar todas estas modalidades desde una única interfaz y movernos entre ellas de manera fluida. Por lo tanto, podemos empezar a transmitir un mensaje de texto corto a alguien, entrar en una conversación, convertirlo en una conversación de audio, decidir que queremos mostrarles nuestro perro, encender la cámara de vídeo, convertirla en videoconferencia y cuando terminamos con la conversación, terminamos con un correo electrónico para resumir lo que hemos acordado. Hemos pasado por cinco diferentes modalidades de comunicación en una sola interfaz unificada.

> *"Lo que hacemos es construir interfaces, construir abstracciones, construir herramientas unificadoras, que nos permitan usar todas estas modalidades desde una única interfaz y movernos entre ellas de manera fluida".*

Debido a invenciones como las cadenas laterales o Sidechains, las casas de cambio de activos descentralizadas, los sistemas de flujo de líquido y la completa ausencia de monopolio, de bloqueo monetario, de situaciones en las que somos rehenes de la moneda, seremos capaces de convertir instantáneamente y a muy bajo coste, entre diferentes criptomonedas. Si podemos hacer todo eso, entonces no importará cuan complicado sea, porque *nosotros* no tendremos que hacerlo; nuestra interfaz de cartera unificada lo hará por nosotros, tratando de ver qué es lo que deseamos conseguir en cada momento con las monedas de nuestra cartera unificada. Si estoy comprando una casa, podría expresar mi voluntad transaccional en la modalidad de Bitcoin, porque esta podría ser la moneda más adecuada. Cuando intento obtener el dominio para esa casa, lo que hará será convertir algunos Namecoins por el nuevo dominio. El contrato se pagará en Ethers. Cuando le dé la propina al camarero por la taza de café que me sirvió por la mañana, la cartera unificada decidirá ofrecerle Dogecoins. Mi interfaz ocultará todas estas diferencias haciendo que todo sea más fácil.

La Moneda como Aplicación

Esto es lo que pienso que pasará con las monedas. Vamos a empezar a tratar las monedas como aplicaciones, y para poder hacerlo vamos a necesitar interfaces que nos ofrezcan una experiencia unificada con ellas, permitiéndonos tener una única cartera con quizá 150 monedas diferentes.

"Vamos a empezar a tratar las monedas como aplicaciones, y para poder hacerlo vamos a necesitar interfaces que nos ofrezcan una experiencia unificada con ellas, permitiéndonos tener una única cartera con quizá 150 monedas diferentes".

Puedo ver un mundo en el que podremos movernos sin problemas entre diferentes monedas de una manera multimodal. Hay algo más que surge de esto y es, que existen grandes posibilidades de que vayamos a abstraer el valor del tipo de cambio de la moneda actual. Si tenemos un sistema de comunicación multimodal, ya no necesitaremos consultar los valores individuales y los tipos de cambio de todos esos bienes, activos o monedas.

Moneda Indice

Hay muchas posibilidades de que tengamos una moneda índice; una moneda que no es en sí misma comerciable, que no tiene un uso intrínseco como un producto transaccional, sino que sólo se utiliza para expresar el poder adquisitivo entre las diversas monedas de nuestras carteras. Puedo tener mil unidades de moneda unificada. No se pueden comprar unidades de moneda unificada. Usted puede comprar bitcoin y luego me puede decir cuántas unidades de moneda unificada valen o representan. Pongo precio a todo en unidades de moneda unificada, y luego pago en Dogecoin o Namecoin o bitcoin o Ether, dependiendo de cómo quiero usarlo.

"Puedo ver un mundo en el que podremos movernos sin problemas entre monedas de una manera multimodal".

Ya estamos haciendo esto mismo en los mercados financieros. De hecho, podéis operar S&P 500. No compras una sola compañía; lo que compras es la agregación de todos los activos diferentes que están en el mercado de valores, como una expresión del valor total de mercado. A continuación, puedes utilizar ese meta-instrumento con el fin de ponerle precio a las transacciones. Por ejemplo, la

London Interbank Offered Rate, es utilizada como un tipo de meta-interés para contractualmente vincular activos a un conjunto global de tipos de interés. No necesitas decir, "Voy a comprar esto al precio que marca el Bundesbank". Sino que dirás: "Voy a comprar esto al LIBOR más 2", y entonces tienes un punto estable de referencia para las transacciones.

Sospecho que vamos a ver lo mismo con las criptomonedas. Es probable que veamos meta-monedas con el único propósito de agregar el valor de todas nuestras monedas en nuestras carteras y permitirnos entender el valor como una abstracción que existe independientemente de las monedas en las que se expresa.

La Elección de Monedas y Las Comunidades

Esta es una perspectiva ligeramente filosófica. Ether no está compitiendo con bitcoin; bitcoin no está compitiendo con Litecoin. Todas ellas son medios para expresar la modalidad transaccional que deseamos usar en un determinado momento para lograr nuestro objetivo. Esto supone una herramienta muy importante y de gran alcance. En la elección que hacemos por estas monedas, a la vez estamos alineándonos con una determinada comunidad.

> *"La adopción no es simplemente el acto de usar la moneda, además supone unirse a una comunidad que también ha optado por adoptar esa moneda".*

La adopción no es simplemente el acto de usar la moneda, además supone unirse a una comunidad que también ha optado por adoptar esa moneda. Cuando elijo adoptar Bitcoin, estoy confiando en su política monetaria de sus 21 millones de monedas totales a emitir como fuente estable de valor. Si elijo adoptar Freicoin, confío en una moneda de base inflacionaria, que tiene una tasa de interés negativo, que fomenta el consumo y desalienta la acumulación de moneda. Elijo mi política a través de *mi moneda*, y con esa elección me estoy asociando con una comunidad global que ha hecho la misma elección que yo, y que está expresando esa misma elección a través de la moneda. Al igual que cuando elijo una aplicación en Internet para comunicarme, también me estoy alineando con su correspondiente comunidad. Yo no uso Twitter sólo porque es un mecanismo de comunicación conveniente. Yo uso Twitter porque estoy de acuerdo con muchos de los conceptos y filosofías de la comunidad de personas que lo utilizan.

*"Hemos entrado en el reino de la meta-política,
de la política basada en algoritmos, en el reino
de potenciales y futuras comunidades globales
capaces de crear y fomentar consensos políticos
comunes, respaldados por sus propias monedas,
las que todos aceptan y fomentan en comunidad
haciendo uso de ellas".*

A través de las monedas, esta elección es una opción política mucho más poderosa.
Hemos entrado en el reino de la meta-política, de la política basada en algoritmos,
en el reino de potenciales y futuras comunidades globales capaces de crear y
fomentar consensos políticos comunes, respaldados por sus propias monedas,
las que todos aceptan y fomentan en comunidad haciendo uso de ellas. ¿Quieres
inflación? Utiliza una moneda inflacionaria. ¿Basas toda la economía y tu propia
inversión en el Oro? Utiliza una moneda deflacionaria. ¿Deseas una moneda que
fomente un ingreso mínimo garantizado para los pobres? Utiliza monedas que
expresen esa política. ¿Quieres una moneda que fomente la extinción del uso del
carbón? Utiliza monedas que expresen una política ecologista. Vamos a empezar a
ver como comunidades, políticas y monedas, convergen y nos permiten hacer estas
elecciones. Así como puedo apoyar a Joeycoin, para decir que Joey es el chico más
guay entre los chicos de cinco años, también podría apoyar a Greencoin, porque
me preocupa el calentamiento global. O no. Puedo apoyar Meatcoin si realmente
me gusta la carne roja. Lo que sea. También WorldWideWrestlingCoin [N. del T.:
Wrestling = Lucha Libre Profesional], no habría problema. Podría surgir alguna
iniciativa así.

En realidad, todas estas cosas son formas de expresión, y eso nos hace volver al
punto original: esas monedas, al final, son realmente otra forma de lenguaje. Un
lenguaje por el cual comunicamos nuestras expectativas y deseos de valor, y ahora
que podemos hacerlo a escala global, ahora que cada uno de nosotros puede crear
innovadoras monedas, nuestras opiniones realmente importarán. Hemos superado
el *juego de suma cero*. Ya no es asunto de los estados-nación. No se trata de quién
adopta bitcoin primero o de quién adopta primero las criptomonedas, ya que Internet
está adoptando las criptomonedas, e Internet es la economía más grande del mundo.
Es la primera economía transnacional, y necesita una moneda transnacional.

"Ya no es asunto de los estados-nación. Internet es la economía más grande del mundo. Es la primera economía transnacional y necesita una moneda transnacional".

La Moneda Crea Soberanía

En resumen, hemos invertido la ecuación básica y fundamental de la moneda. Durante milenios, hasta el año 2008, la soberanía ha definido la moneda. La soberanía era la base sobre la cual la moneda podía ser creada, y esa moneda permitió que se expresara esa soberanía. El monopolio de la moneda es la base de la soberanía. Ahora, Internet tiene una moneda. E Internet va a utilizar esa moneda para crear soberanía.

"Después de 2008, la moneda es quien crea la soberanía".

Después de 2008, la moneda es quien crea la soberanía. Internet tiene su propia moneda, lo que significa que Internet tiene poder adquisitivo. Lo que significa que Internet tiene libertad económica. Lo que significa que Internet puede ejercer esa libertad económica en un enfoque post-nación, ignorando las fronteras y haciendo que el estado-nación no sea obsoleto, pero si mucho menos relevante. Cuando un blogger Egipcio no sólo puede bloguear sobre la revolución, sino también financiar esa revolución mediante bitcoins, y puede conectarse con personas de todo el mundo que comparten sus ideas sobre la autodeterminación y la libertad, está expresando su propia soberanía como individuo, y está expresando la soberanía de su comunidad mediante el uso de esa moneda.

Este es el mundo en el que ahora vivimos: un mundo en el que las monedas pueden coexistir, un mundo donde las monedas, junto con la adopción por parte de sus usuarios, son los nuevos creadores de soberanía.

Gracias.

Principios de Diseño de Bitcoin

Esta charla se celebró en Junio de 2015 en el Harvard Innovation Lab de Boston, Massachusetts, como parte de un Taller de Diseño de su IDEO Lab. Durante estos dos días de taller, los estudiantes compitieron creando prototipos de aplicaciones basadas en Bitcoin y Blockchains.

Enlace al Video: https://www.youtube.com/watch?v=Ur037LYsb8M

Buenos días a todos. ¡Vaya! Menuda tarea complicada tenéis. A un nivel muy básico, tenéis que intentar comprender *lo que es Bitcoin*. Podría responder a esa pregunta con cuatro palabras. Bitcoin es dinero digital. Pero esto es insuficiente para captar incluso la idea más básica. Es mucho más que el Dinero de Internet. En realidad se trata una red de *Consenso Descentralizado*, basada en tecnología *Blockchain* y un algoritmo de *Prueba de Trabajo* que permite que una ficha o token digital llamado *bitcoin*, actúe como recompensa en un sistema, en el que los mineros compiten por otorgar validez a las transacciones, y ... "Vaya por Dios," resulta tan apasionante, que es fácil irse por las ramas.

Lo cierto es que después de un par de años explorando lo que es Bitcoin, descubres que aún te queda mucho que aprender. Todavía sigues tratando de comprender lo que realmente es. En parte esto es así debido a que Bitcoin es una nueva tecnología, una tecnología completamente disruptiva, pero a la vez es una abstracción de una tecnología muy muy antigua. Esa tecnología tan antigua es el Dinero. El Dinero es una herramienta, es una tecnología. De hecho comparte similitudes con las estructuras lingüísticas, ya que lo usamos como un lenguaje para comunicar valor entre nosotros en sociedad.

Historia del Dinero

¿Quien aquí quiere decirnos que antigüedad podría tener el dinero? *Alguien entre la audiencia dice: "¿5,000 años?"* Muy bien, no está mal. Un poco más antigua. Venga, intentadlo de nuevo. El problema que surge al tratar de comprender la historia del dinero, es que el dinero es más antiguo que la propia historia. Podemos analizar escrituras antiguas que hablen sobre el dinero. Sin embargo, el dinero es más antiguo que la propia escritura. Esto puede que os confunda un poco. Ponéis cara de, "¿El dinero es más antiguo que la escritura? Eso no puede ser". De hecho, si observáis las primeras formas de escritura, comprobaréis que se tratan de cálculos. Son *libros contables*. Las primeras formas escarbadas con diferentes utensilios en tablas de arcilla o piedra eran *libros contables*. Representaban cuántas ánforas de aceite habían sido entregadas al faraón. Si retrocedéis aún más en el tiempo, encontramos formas ancestrales de dinero entre las ruinas de civilizaciones antiguas: cuentas, plumas, conchas, piedras gigantes. El dinero ha tenido muchas formas, pero existe y ha existido desde que utilizamos el lenguaje. Estamos ante una tecnología verdaderamente antigua. Asique, no tiene 5,000 años. Probablemente esté más cerca de los 500,000 años de antigüedad.

Los Primates y El Dinero

En realidad, vemos como el dinero también surge entre otras especies. Especies inteligentes como los primates, algunos tipos de pájaros como los cuervos, e incluso algunos mamíferos como los delfines utilizan algunas formas de tokens para expresar valor entre ellos. También podrían aprender los mecanismos del dinero. Se puede enseñar a los primates que si le dan la vuelta a un determinado tipo de piedra, podrían conseguir un plátano. En poco tiempo, se les puede observar cómo eso no sólo se convierte en parte de la cultura de los primates, sino que termina transmitiéndose a la siguiente generación, y comienzan a desarrollar actividades económicas. Algunas actividades económicas no muy agradables. Inventan el robo a mano armada, empleando la fuerza contra los que tienen piedras, a quienes se las roban para obtener plátanos a cambio. Inventan el intercambio de favores sexuales por piedras, y así también poder conseguir plátanos. Inventan algunas de las actividades económicas más primitivas.

"Especies inteligentes como los primates, algunos tipos de pájaros como los cuervos, e incluso algunos mamíferos como los delfines utilizan algunas formas de tokens para expresar valor entre ellos".

El dinero es antiguo, es una tecnología extremadamente antigua y realmente ninguno de nosotros lo comprendemos profundamente. Si os lo queréis demostrar a vosotros mismos, sentaros un día con un niño de cuatro años y tened una conversación con él tratando de explicarle lo que es el dinero. Descubriréis enseguida que el niño formula muy buenas preguntas para las que no tenéis respuesta. Podéis ver a padres pasando por esto, y os aseguro que es para morirse de risa:

"¿Mamá, de donde sale el dinero? Los bancos lo hacen. ¿Si? ¿Pero cómo lo hacen? Pues, lo imprimen. ¿Por qué entonces no podemos imprimir más? Anda, ve a limpiar tu habitación".

En un conversación acerca del dinero, son tan solo necesarias tres preguntas para mandar a los peques a limpiar su habitación, y esto sucede por que los adultos realmente no lo comprenden. Incluso aunque es una herramienta cultural que ha existido en nuestra especie desde hace cientos de miles de años, no comprendemos como funciona.

Características del Dinero

Hemos pasado por varias iteraciones o cambios tecnológicos del dinero. Empezamos con formas muy básicas del dinero. Estas formas básicas tuvieron características únicas que las hicieron buenas como tal. ¿Qué es lo que hace que algo sea bueno como dinero? Algo que es raro. Conchas, plumas. Puedes usar conchas como dinero, a menos que vivas cerca de una playa; si vives cerca de una playa no conviene que uses conchas como dinero. Debes poder transportar valor de manera fácil y cómoda. Asique, debería ser fácil de transportar. Con pocas excepciones, el dinero es fácilmente transportable. Si la cantidad de dinero que tienes que acarrear para comprar una vaca es más pesado que la propia vaca, entonces no será bueno como dinero. Esto es por lo que habitualmente no se ve, por ejemplo, utilizar el Oro como moneda de cambio. Es muy pesado. Otras características del dinero … debe ser difícil de fabricar; debe ser difícil crear más cantidades de él. Debe ser fácil comprobar su autenticidad y sus posibles falsificaciones. Debe ser fungible. Si estoy utilizando conchas, entonces esta concha o cualquier otra concha deben tener el mismo valor. Si te doy un dólar, no importa el dólar que te dé; es fungible. Todo dólar puede ser sustituido por cualquier otro.

"El dinero es en si mismo una abstracción. Si no es una abstracción, entonces no es Dinero, en ese caso sería trueque".

Estas son las tecnologías, y gradualmente, con el paso del tiempo, hemos creado abstracciones. El dinero es en si mismo una abstracción. Si no es una abstracción, entonces no es dinero, en ese caso sería trueque. Si te doy plátanos a cambio de tu cabra, eso no es dinero. Los plátanos no son dinero por que se pueden comer. No los utilizáis para cambiarlos por otras cosas. Eso sería hacer trueque con ellos. Estarías cambiando un producto por otro. Si por el contrario es algo abstracto, si no tiene un uso práctico en sí mismo, entonces como abstracción del valor, representa algo más, representa un valor compartido.

Lo que nos lleva a una ineludible conclusión acerca del dinero: El dinero es una alucinación compartida. Es una ilusión compartida. Vamos por ahí creando relaciones económicas con gente que no conocemos sobre la base de unos trozos de papel con tinta que transportan gérmenes. Si observaras esto desde la perspectiva de un antropólogo alienígena que aterrizara en la Tierra, pensarías que esto es lo más raro que has visto en toda la galaxia. Sólo por el intercambio de estos trozos de papel, puedes crear relaciones sociales, realizar transacciones, e intercambios, te puedes alimentar, puedes tener un techo donde vivir, etc. No es que tenga mucho sentido que se diga, pero está basado en una alucinación compartida. Se basa en la idea de que si me das un dólar hoy, alguien lo aceptará mañana a cambio de algo de valor. Si todos así lo aceptamos, entonces tiene valor. El valor se adquiere en el momento en el que puedo volver a utilizarlo.

> *"El Dinero es una alucinación cultural compartida".*

Simplemente Otra Abstracción del Dinero

Bitcoin es sólo la última iteración de la abstracción del dinero. Hemos inventado abstracciones del dinero antes pero cada vez que adoptamos una abstracción nueva del dinero, la sociedad se asusta por que esa cosa nueva no puede ser *dinero de verdad*. Retrocedamos a lo sucedido con la introducción de las monedas acuñadas con metales no preciosos, y a lo que sucedió más tarde con el papel moneda. Cuando el papel moneda comenzó a ser utilizado, nadie creyó que pudiera tener valor. La propuesta de alucinación compartida no terminaba de ser aceptada. Fue realmente difícil convencer a la gente para que cambiara su oro o plata por pedazos de papel que decían se podrían utilizar para reclamar oro o plata custodiados en cámaras de seguridad. Después, dale un giro más de tuerca, haz desaparecer el oro de sus cámaras de seguridad y diles: "En realidad, ya no hay oro, sólo es papel".

> *"...cada vez que encontramos una nueva abstracción del dinero, la sociedad se asusta porque no creé que esa nueva forma de dinero pueda tener valor ni llegar a ser dinero algún día".*

Preguntas a la gente sobre bitcoin y una de las primera cosas que oigo de la mayoría de la gente, es que no es dinero real por que no está respaldado por oro como el dólar norteamericano, lo que me resulta sencillamente asombroso. El dólar dejó de ser respaldado por el oro en 1936. Sin embargo, la mayoría de la gente piensa que en algún lugar existe una cámara acorazada, posiblemente en Fort Knox o en alguna otra ubicación de la película "Goldfinger", en la que hay barras de oro que corresponden lingote a lingote a los pedazos de papel que llevan en su bolsillo. Eso no es cierto. Eso sencillamente dejo de existir. ¿Porqué un bitcoin es dinero? Por que otras personas piensan que lo es. Podrías escribir una docena de tesis doctorales explicando porqué un bitcoin no es dinero … y sin embargo yo llevo ya dos años viviendo con bitcoin. Por lo tanto, carece de importancia lo que pueda decir su disertación. Para mí, es dinero, *por que* vivo con él hace dos años. Lo mismo le sucede a miles de personas. Por lo tanto, para mi es dinero real.

Bitcoin y Diseño

Os han encargado crear diseños y conceptos sobre la tecnología más antigua del mundo que además muy pocas personas realmente comprenden. Su última expresión, la más abstracta, y completamente nueva, está absolutamente desligada de cualquier otra expresión anterior del dinero, siendo además, como tecnología, extremadamente compleja. Esa es una tarea realmente difícil. Cuando uno se enfrenta a una tarea así, la técnica a emplear suele ser utilizar la metáfora. El diseño basado en metáforas constituye una herramienta extremadamente poderosa. Nos permite crear expectativas. Las metáforas son herramientas con las que somos capaces de crear expectativas. En un ordenador de escritorio, en su escritorio, se asume que algo sucederá si arrastras algo sobre él. Dado que en algún momento ya utilizaste con anterioridad un escritorio tradicional, dicha suposición te informará sobre tus expectativas. Esperas que se comporte como el objeto que pretende ser, un escritorio. Esto es una *metáfora de diseño*. Las metáforas de diseño son extremadamente poderosas, pero a la vez también pueden ser muy peligrosas cuando se emplean erróneamente.

> *"Las metáforas de diseño son extremadamente poderosas, pero a la vez también pueden ser muy peligrosas cuando se emplean erróneamente. En Bitcoin, cada uno de los términos y metáforas, están erróneamente elegidos".*

Las Carteras no son Carteras

En Bitcoin, cada uno de los términos y metáforas, están erróneamente elegidos. Repasemos la lista de ellos. Probablemente ya habréis pasado por esto, ya que al haberos adentrado en la tecnología Bitcoin habréis observado su terminología. Antes que nada, una "cartera". ¿Pero qué es una cartera? Una cartera no es más que algo que almacena dinero. Pero en Bitcoin no sucede así. El dinero no está en la cartera; el dinero está en la red. La cartera lo que contiene son claves o llaves. Por lo tanto, es erróneo llamarlo cartera; hubiera sido más correcto llamarlo *llavero*. ¿Cómo podrías explicar que no es realmente una cartera? ¿Podrías copiar una cartera? No. Pero si que podrías copiar una clave. Un llavero, como metáfora, ayuda a entenderlo mucho mejor. Si tengo un llavero, imagínate un llavero grande, como el que llevaría un portero o un guardia de seguridad, entonces tengo un manojo de llaves, con el que podría ir a la tienda especializada más cercana y pedir un duplicado de cada una de ellas y conseguir así un duplicado completo del llavero. Los dos llaveros servirán por igual en todas las cerraduras para las que se usaba el llavero original. Así es como debería funcionar un llavero. Si comprendéis para qué sirve un llavero, entonces comprenderéis como funciona una cartera en Bitcoin. Podéis copiarlo, podéis hacer copia de sus claves o llaves. Si le dierais a alguien una copia de la llave, podría abrir su correspondiente puerta. Ya nunca necesitaría pediros permiso para abrirla.

Asique, una "cartera" no es una cartera; es un *llavero*. Lamentablemente llamarlo "cartera" es una metáfora desastrosa. Esperas de ella lo que esperarías de una cartera tradicional. Esperas que contenga cosas. Y a la vez esperas que dichas cosas sean discretas y enumeradas. Eso no es así en Bitcoin.

No existen Monedas en Bitcoin

Vayamos a lo básico: "Bit - coin." *Coin*. Menuda palabra. Qué nombre tan horrible para una marca. *Coin*. Coge la forma más abstracta de dinero que hemos creado, una nueva forma basada en una red completamente descentralizada que no utiliza monedas y llámala nada menos que "Bitcoin". Sólo para confundir a todo el mundo. Una moneda, que como tecnología es varias generaciones más antigua, mucho menos abstracta y que constituye una forma tangible de representación física del dinero. Cogieron la representación más abstracta del dinero y basaron su nombre en su representación más tangible. Eso sólo se le podría ocurrir a un ingeniero.

He aquí un pequeño secreto: no existen monedas en Bitcoin. Por ejemplo, cuando los mineros de Bitcoin minan, no crean monedas; lo que crean son asientos en el libro contable descentralizado. Pero los asientos en el libro de contabilidad de Bitcoin no enumeran monedas. En su lugar se utilizan las llamadas Salidas o *Outputs*, las salidas de transacciones existentes [N. del T. : ver UTXOs o Unspent Transaction Output], que no son más que fragmentos de su unidad, el bitcoin, *divisible hasta 8 posiciones decimales* y que a su vez son recombinados entre ellos para formar otras cantidades. Con las monedas tradicionales no es posible hacer eso. Las monedas son sólo divisibles por otras monedas de inferior valor, pero no pueden ser dividas hasta en 8 posiciones decimales como en bitcoin. No es posible tracear o seguirle la pista a una moneda en Bitcoin, sencillamente por que el concepto de moneda en Bitcoin *no existe*.

Asique, lo que tienes es una "Cartera" que no contiene "Monedas", por que las monedas están en la red, aunque en realidad lo que hay en la red no son monedas, son Outputs o salidas de transacciones, pero lo que sí que tienes en tu "cartera" es un manojo de llaves o "llavero". Las transacciones no se realizan desde un emisor a un receptor. Las direcciones Bitcoin no tienen lo que se suele llamar "un balance". No existe eso en una dirección Bitcoin. Una dirección controla salidas o Outputs, y de manera muy muy simplificada, si rastreas la cadena de bloques o Blockchain sumando todas las salidas de transacciones con destino a dicha dirección, podrías obtener una especie de balance. Conocer qué parte de dicho balance se encuentra disponible o que otra parte ha sido ya gastada, conocer con exactitud ambas cantidades, es una tarea muy compleja y especializada de la que se encargan las "Carteras Virtuales". Lo cierto es que en Bitcoin no existe el concepto de "balance". Bitcoin no ofrece "cuentas".

Muchos de los términos en Bitcoin no han sido apropiadamente elegidos. El problema, desde la perspectiva del diseño, es que en lugar de utilizar una metáfora que pudiera informar al usuario de las expectativas de su uso, lo que hacen todos estos mal elegidos términos, es crear unas expectativas de uso erróneas. Creando así las bases para interpretaciones equivocadas a nivel de masas, porque pensamos que va a hacer algo de una determinada manera, y termina haciendo algo completamente diferente, algo inesperado. Algo parecido al escritorio de Windows. No sé si habréis comparado alguna vez un escritorio de un Mac con el de un Windows. Para mí, los escritorios de Windows no son consistentes. En este caso la metáfora de diseño no es aplicada correctamente. Esperas que haga algo, pero termina por hacer algo completamente diferente y confuso. La esencia de un buen diseño es elegir la metáfora que mejor informa del uso esperado.

"La esencia de un buen diseño es elegir la metáfora que mejor informa del uso esperado".

Diseño Skeumórfico

Aquí tenemos el siguiente gran problema con las metáforas y el diseño. Existe un determinado concepto llamado *Diseño Skeumórfico*. La palabra *Skeumórfico* significa "una sombra de su antiguo yo". Adopta su forma como la sombra o recuerdo de algo anterior. Lo que significa es que, cuando se crean elementos en la fase diseño, se le otorgan referencias o sugerencias de alguna forma anteriormente existente. Por ejemplo, un clásico. En la primeras generaciones de iPads, el software iOS tenía mucho diseño Skeumórfico. Si abrías tu base de datos de contactos, aparecía encuadernada en cuero. Ese cuero tenía costuras. Esas costuras no tenían ninguna utilidad. Se trataba sólo de un elemento de diseño, sin un propósito funcional, cuya intención era ponerte en una predisposición mental familiar que te ayudara a comprender la metáfora utilizada. Cuando estás jugando a las cartas en tu ordenador y se muestra un fieltro bajo las cartas, eso es porque está tratando de trasmitir la metáfora de un casino mediante la introducción de este elemento de diseño. El Diseño Skeumórfico es extremadamente poderoso. También puede ser muy peligroso. Si no se utiliza correctamente, creará expectativas equivocadas de lo que podría suceder al utilizarlo.

En Bitcoin, tenemos multitud de diseño Skeumórfico. Mi favorita, como la más repudiada forma de diseño Skeumórfico, es la imagen que veis en todos los artículos sobre Bitcoin: un montón de monedas de oro que llevan una letra B, a menudo las monedas *Casascius*, diseñadas por Mike Caldwell, pero también cualquier otra forma de esta misma representación. Tomar la peor metáfora de diseño de bitcoin, la palabra "moneda", y presentarla al mundo en una fabulosa representación que la dota de una imagen incluso más física, en un diseño Skeumórfico, es algo que confunde a todos los recién llegados a Bitcoin. Se dan casos de personas que acuden a eBay y compran lo que ellos creen que son "bitcoins". Compran bitcoins de oro y plata que nada tienen que ver la tecnología Blockchain pero que tienen una preciosa letra "B" estampada en ellas. "Mira, me he unido a la revolución del dinero digital", dicen. Estas réplicas tangibles raramente tienen valor alguno en bitcoins. Este es el resultado. Después, la gente escribe artículos sobre Bitcoin y cuando otros los leen, dicen, "Asique eso es un bitcoin". No, eso no es ningún bitcoin, porque si recordáis, como ya lo mencioné anteriormente, no hay monedas en Bitcoin. Ese es el peligro de un diseño skeumórfico mal elegido.

Diseño para La Innovación

Es realmente difícil diseñar buenas metáforas en Bitcoin porque no existe un paralelismo con algo anterior. Nunca antes hemos tenido nada semejante. Caemos en la trampa de intentar extrapolar sobre nuestra experiencia anterior y caemos en el error de quedarnos cortos. Las tecnologías disruptivas son así. En una tecnología incremental, si tomáis lo que actualmente se comprende y luego simplemente la extendéis un poco, la nueva tecnología se hace comprensible porque realmente es sólo una ligera extensión del pasado. Bitcoin sin embargo supone una ruptura radical con el pasado, por lo que comprender como funciona el dinero tradicional ayuda muy poco. En todo caso dificultará aún más su comprensión sobre Bitcoin. La gente que menos entiende de Bitcoin son los especialistas en sistemas monetarios tradicionales. Su mentalidad les impide comprender Bitcoin. Escribirán largas tesis tratando de argumentar que Bitcoin no es dinero, a pesar del hecho de que personalmente llevo viviendo con bitcoins durante años.

"Bitcoin supone una ruptura radical con el pasado, por lo que comprender como funciona el dinero tradicional ayuda muy poco".

Comprender las tecnologías disruptivas es mucho más difícil que comprender tecnologías incrementales, porque las cosas más interesantes que nos ofrecen no cuentan con un paralelismo anterior. Pensad en ello de este modo. Echemos la vista atrás con *Star Trek* en los setenta. ¿Qué hicieron bien? Tenían los tricorders. Tenían comunicadores portátiles. Tenían video telefonía. Tenían todo aquello que era previsible con la tecnología de los años setenta. Sin embargo, no tenían Internet. No podían siquiera entender la idea tan simple hoy del almacenamiento de información en red. Tenían computadoras fantásticas que podían hablar contigo, pero que no tenían acceso a ningún dato. No podían predecir cosas como las redes sociales. Aún más importante. Si prestáis atención, notaréis algo muy extraño. En *Star Trek* no existía el dinero. No había dinero en todo el universo *Star Trek*. ¿Pero por qué? Porque su visión más alejada en el futuro de la sociedad actual era una sociedad sin dinero, una sociedad sin un lenguaje con el que poder transmitir valor, lo que probablemente sea una de las evasiones más radicales de la realidad.

Prediciendo el futuro

Cuando tratamos de predecir el futuro, hay ciertas áreas que son completamente oscuras para nosotros. Estas son las áreas que nunca se han visto antes. Estas son las aplicaciones que no podemos imaginar porque, para que puedan llegar a existir, antes tienen que existir otras muchas cosas. Para que la web apareciera, antes se necesitaba un protocolo de transmisión estandarizado y común. Para que la web pudiera dar lugar a las redes sociales, se necesitaba una penetración masiva del correo electrónico básico y conexiones TCP/IP. Era necesaria una penetración de esas conexiones en un estado siempre conectado y activo. Se necesitaba contar con dispositivos móviles con una alta capacidad de computación en la palma de la mano y que estuvieran permanentemente conectados a Internet. Todas esas cosas tenían que llegar a estar en funcionamiento antes de que las redes sociales pudieran existir.

"Si observaras Internet en 1992, pensarías que viene a substituir al teléfono. El teléfono es la única experiencia previa conocida".

Si observaras Internet en 1992, pensarías que viene a substituir al teléfono. El teléfono es la única experiencia previa conocida. Internet es un teléfono de lujo. Quizás sea un teléfono/fax de lujo, quizás una impresora/fax/teléfono multifuncional. Es muy elegante. Por lo tanto, las compañías telefónicas lo analizaron y dijeron, "Vaya, es tan sólo un teléfono de lujo. Eso también lo podemos hacer nosotros". Afortunadamente estaban equivocados. De lo contrario, cada vez que realizara una llamada por Skype, habría una pequeña ranura junto a mi ordenador, en la que tendría que depositar monedas cada tres segundos para poder hacer esa llamada con Skype. Afortunadamente, las compañías telefónicas no llegaron a escribir las reglas. No pudieron ver lo que nos traería Internet, porque la mayoría de las cosas interesantes que nos ofrecería no eran mejoras incrementales o extensiones de cosas anteriores. En realidad eran rupturas radicales con el pasado, porque crearon las condiciones para poner en marcha cosas que antes no eran posibles.

Volvamos a Bitcoin y pensad en esto por un segundo. Considerar lo que hemos estado hablando: transacciones financieras, banca, pagos. "Es una tarjeta de crédito elegante". "Es básicamente Paypal. Es un Paypal global". Pero no, no lo es. Se trata de algo radicalmente diferente, pero no alcanzamos a ver hasta donde llegará. Las aplicaciones que van a aparecer en Bitcoin, sus aplicaciones realmente interesantes, son aquellas que sólo podrán ocurrir cuando exista suficiente adopción y penetración de esta tecnología, la capacidad de realizar transacciones transfronterizas a un nivel que nunca antes se había hecho en la historia de la humanidad.

> *"Considerar lo que hemos estado hablando: transacciones financieras, banca, pagos. "Es una tarjeta de crédito elegante". "Es básicamente Paypal. Es un Paypal global". Pero no, no lo es. Se trata de algo radicalmente diferente".*

Hoy en día, hay 3 billones de personas en el mundo sin infraestructuras bancarias. Tres billones más de personas, los *"desbancarizados"*, como los llamamos, sin ningún acceso al crédito o a las finanzas internacionales. Tu o yo podemos acceder ahora mismo a una agencia de bolsa a través de Internet y en 24 horas podemos tener una cuenta en dólares estadounidenses con la que poder operar en la bolsa de valores de Tokio. Eso es un privilegio. Esa es una facilidad que tienen menos de un billón de personas en el mundo. Un billón entre siete. ¿Y los otros 6 billones? Apenas tienen una cuenta regular de cheques, si es que llega el acaso. Muchos de ellos viven en sociedades basadas en el efectivo o en el trueque. Por lo tanto, la pregunta que cabe hacerse es, ¿Qué sucede cuando un agricultor en Kenia que tiene un Nokia 1000, un teléfono con mensajería de texto, de repente ese teléfono se convierte en una terminal de Bloomberg, una terminal de préstamos, un terminal de remesas de Western Union, un mercado de valores, se convierte en *un banco*, no una terminal bancaria, sino en un banco en sí mismo, todo esto con un simple teléfono? ¿Y qué sucede cuando esta oportunidad se le ofrece a los otros 6 billones de personas en todo el mundo?

Parte de la razón por la que Bitcoin es imparable es porque existe una gran necesidad por esta tecnología. Los bancos del mundo desarrollado no pueden prestar servicios a estas poblaciones. Recientemente, hablando con un banquero me dijo: "La mitad de nuestra población está a 100 millas de la sucursal más cercana, río arriba, en canoa. No podemos prestarles servicio". Pero incluso el pueblo más remoto de la cuenca amazónica tiene una torre de telefonía móvil, y alguien en ese pueblo tiene un panel solar y un teléfono con mensajería instantánea Nokia 1000. Hay más teléfonos Nokia de ese modelo en el mundo que cualquier otro tipo de dispositivo electrónico. Es el dispositivo más masivamente producido que la humanidad haya comercializado jamás. Casi 5 billones de personas en el mundo tienen acceso a la telefonía móvil. Casi 3 billones de personas tienen acceso a teléfonos móviles y no tienen acceso a agua potable. Pensad en ello. Los teléfonos móviles están más extendidos que el agua potable en nuestro planeta. ¿Qué sucede cuando todos y cada uno de ellos se convierte en un banquero? Para mí, la visión de Bitcoin no es dotar de bancos a los otros 6 billones de personas; sino acabar con la necesidad de los bancos de todos nosotros. Podemos hacerlo. La banca es sólo una aplicación.

> *"Para mí, la visión de Bitcoin no es dotar de bancos a los otros 6 billones de personas; sino acabar con la necesidad de los bancos de todos nosotros".*

Innovación Intersticial

Esto es sólo el principio. Lo realmente interesante de Bitcoin aparece en lo que yo llamo "Innovación Intersticial", la innovación en las fisuras, los espacios aún sin cubrir por el sistema tradicional. Las tecnologías tienen un efecto interesante cuando cambian las suposiciones básicas. Algunas de las cosas más poderosas que suceden alrededor de Internet, suceden no sólo debido a la conectividad, sino al costo marginal de la transmisión de información sobre la distancia. Antes de

Internet, mover información del punto A al punto B suponía un elevado coste. Internet llevó ese coste a casi cero. El resultado fue que millones de aplicaciones que no podían existir sobre la base del coste anterior, aunque pudiéramos imaginarlas, de repente se hicieron posibles. ¿Por qué diablos escucharías música mediante streaming en lugar de comprarla y almacenarla localmente? Pues porque apenas cuesta nada trasmitirla. Y una vez que no cuesta nada escuchar música sin almacenarla, la propiedad empieza a parecer algo sobrevalorado. Si una generación entera adoptara esta mentalidad, la propiedad intelectual podría llegar a ser algo sobrevalorado. Adiós industria discográfica. Estos efectos, aparecen porque la tecnología cambia los costes de las cosas.

Pensemos en lo que sucede cuando Bitcoin cambia el costo fundamental de las transacciones, realizándolas a gran distancia, transmitiendo valor, registrando información y registrándola de una manera inmutable. ¿Qué sucede cuando, por primera vez, existe un sistema que puede evaluar las reglas sin intervención humana y se puede confiar en él sin tener que confiar en un solo ser humano? En Bitcoin, lo llamamos la eliminación del *Riesgo de Contraparte*. Si creo una transacción y la firmo, todo el mundo en la red Bitcoin puede validarla de manera independiente. No es necesario contar con la opinión de nadie más. Pueden acceder a la cadena de bloques o Blockchain ubicada en su propio ordenador, que tiene todas las garantías de ser correcta y fiel a la verdad, ya que ha sido construida localmente realizando un seguimiento de las transacciones efectuadas en la red Bitcoin, verificando en cada caso las correspondientes *Pruebas de Trabajo*. Pueden así comprobar la validez de mi transacción, digamos de 350 bytes de tamaño, y pueden validarla sin preguntar a nadie. Un sistema auto-verificable, un sistema de reglas que funciona de manera independiente de actores humanos, un sistema que existe basado en esta tipología de red.

"¿Qué sucede cuando, por primera vez, contamos con un sistema que puede evaluar reglas sin intervención humana y se puede confiar en él sin tener que confiar en un solo ser humano? En Bitcoin, lo llamamos la eliminación del Riesgo de Contraparte".

Qué significa esto? ¿qué le supone al comercio? ¿a las transacciones? Podemos entender lo que le supone a la banca. Podemos entender que Western Union esté bajando fuertemente en esta última década. Cobras un 30% a las personas más pobres del mundo, tu negocio merece irse a pique debido a tecnologías disruptivas. El año pasado, el CEO de Western Union dijo: "A medio plazo no estamos preocupados por Bitcoin". Quiero ver enmarcada esta frase en mi pared. Es una de esas frases históricas, como la del jefe de Kodak diciendo algo parecido cuando Nokia les estaba arrebatando el negocio de las cámaras. Kodak era la compañía de cámaras más grande del mundo, hasta que una compañía, que no estaba en el negocio de las cámaras, distribuyó un billón de cámaras en un año y destruyó su industria. No supieron ver lo que estaba sucediendo. Nokia, dicho sea de paso, es hoy el mayor fabricante del mundo de cámaras. Eso mismo le sucederá a Western Union.

Eso es lo fácil. ¿Qué sucede cuando es posible hacer esta validación de reglas sin necesidad de contar con un tercero que otorgue confianza al proceso? Esto cambia varios fundamentos sociales en los que nos apoyamos actualmente. Cambia lo que se llama el *coeficiente de Coase*, que es la sobrecarga creada por la organización. Si queremos hacer algo en equipo, dos personas pueden hacer más que una. Tres personas pueden lograr aún más. Pero hay un límite para eso. Una vez que el equipo se hace demasiado grande, la sobrecarga de la comunicación entre los participantes en el grupo es mayor que el aumento marginal en la eficiencia. Por lo tanto, añadir más personas lo empeora, porque el grupo incrementa en tamaño demasiado rápido. Bitcoin eso lo cambia, porque reduce el coeficiente de organización en una transacción, en una operación comercial, sobre la base de una validación independiente, a una escala extraordinariamente grande. Ahora podemos tener alrededor de un millón de personas, unas 5.000 máquinas, capaces de acordar el estado de un libro mayor, cada diez minutos y a un costo extremadamente bajo. Eso no ha pasado nunca antes. Lo que abre la puerta a posibilidades que ni siquiera podemos hoy imaginar. Bitcoin radicalmente rompe con la manera de hacer las cosas en el pasado.

Tomemos un ejemplo simple: La *condición de persona*. La condición de persona es requerida en las operaciones financieras. Para poseer dinero, controlar fondos, tener cuentas bancarias, recibir facturas o pagar a alguien, se debe cumplir la condición de ser una persona. En todas partes del mundo, en cada red financiera y de pago existente, son las personas las que poseen dinero. Pueden poseerlo en forma de corporaciones, pero en el fondo son grupos de personas. Pueden usar representantes, agentes, cosas como esas, pero es solo gente colaborando. Bitcoin no impone la condición de persona para operar. Un agente basado en software puede poseer dinero. Una pieza de software puede asumir autónomamente el control sobre el dinero sin necesidad de intervención humana. Esto es algo sin precedentes en la historia de la humanidad. Nunca hemos sabido ver lo que vendrá a continuación.

Hagamos un pequeño experimento mental: Tomemos tres tecnologías radicalmente disruptivas y combinémoslas. Bitcoin, Uber y Vehículos Autónomos. ¿Qué tenemos cuando combinas los tres? El automóvil-propietario. Un automóvil capaz de pagar su contrato de leasing, por ejemplo, a Toyota, pagar su propio seguro y su combustible, y que con todo ello presta un servicio de transporte a la gente.

Un automóvil que no es propiedad de una corporación. Un coche que *es* una corporación en sí misma. Un automóvil que es accionista y propietario de su propia corporación. Un automóvil que existe como entidad financiera autónoma y sin que exista ninguna propiedad humana por medio. Esto nunca ha sucedido antes y es sólo el comienzo. *Se escucha un lamento entre la audiencia: "¡Oh mierda!".*

> *"Tomemos tres tecnologías radicalmente disruptivas y combinémoslas. Bitcoin, Uber y Vehículos Autónomos. ¿Qué tenemos cuando combinas los tres? El automóvil-propietario".*

Puedo garantizaros que una de las primeras corporaciones autónomas distribuidas, va a ser un virus ransomware completamente autónomo, basado en inteligencia artificial, que se distribuirá y robará a la gente en línea sus bitcoins, y usará ese dinero para evolucionar, pagando a mejores programadores, comprando alojamiento y difusión en la red. Esa es una visión del futuro. Otra visión del futuro es una organización de caridad digital autónoma. Imaginar un sistema que toma donaciones de personas, y con esas donaciones monitoriza las redes sociales como Twitter y Facebook. Cuando detecta que se ha alcanzado un cierto umbral y, por ejemplo, ve a 100.000 personas hablando sobre un desastre natural, como un tifón en Filipinas, puede organizar automáticamente la financiación de ayuda en ese área geográfica, sin tener que contar con un consejo de administración ni con accionistas. El 100% de las donaciones iría directamente a causas caritativas. Cualquiera podría analizar las reglas por las que se regiría dicha organización de caridad altruista autónoma. Estamos empezando a abordar problemas de un modo en que nunca lo hemos hecho antes. Esto no es simplemente una moneda.

Veamos ahora cómo la comunidad Bitcoin está abordando este increíble potencial, con sus opciones de diseño y metáforas. Lamentablemente, esto, está siendo un verdadero desastre.

Los Cajeros Automáticos

Tomemos un ejemplo simple. ¿Cuántos de vosotros habéis tenido alguna experiencia con un *ATM* o *cajero automático* Bitcoin o *BTM*, como se les suele llamar? ¿Cómo fue la experiencia? ¿Quién disfrutó con ella? Nadie, eso está bien. ¿Qué es un cajero automático? Los cajeros automáticos han existido desde hace 25 años. ¿Para qué sirve un cajero automático? ¿Cuál es su función? *Un miembro de la audiencia dice: "Es un dispensario de efectivo".* Bien. Cuando interactúas como persona con un cajero automático: cuentas con una relación preexistente con el banco o la institución financiera, tienes un saldo pre-existente, el objetivo principal es acceder, obtener efectivo e irte. Veinte segundos ya es mucho tiempo. Tres clicks son también demasiados. La innovación más increíble en cajeros automáticos en los últimos 25 años ha sido el efectivo rápido. Así es. No han cambiado mucho. Presionas un botón. Ya tienes tu efectivo, en un solo click. ¡Genial! sólo 15 segundos en entrar, obtener el dinero y salir. ¿Por qué esto es tan importante? Porque uno de los principales usos de los cajeros automáticos es, que a la 1:00 de la tarde, 100 personas hacen cola frente a cuatro o cinco cajeros automáticos en el centro de la ciudad, y todos tratan de sacar 20 dólares para comprar su almuerzo. Esto se puede ver a lo largo de todo el mundo.

¿Cuál es el propósito de un cajero automático? Para un banco, el propósito de un ATM o cajero automático es reducir la sobrecarga de contratar un ser humano para la misma función, y reducir al menor tiempo posible la interacción con el banco a quien ya tiene una relación preexistente con dicha entidad bancaria. ¿Qué tiene esto en común con un cajero automático de Bitcoin o BTM? Absolutamente nada.

Los Cajeros Automáticos Bitcoin

Ahora veamos la experiencia con un cajero automático Bitcoin. El usuario promedio de un cajero automático Bitcoin, es alguien que nunca ha visto Bitcoin. Es una persona que no entiende lo que es Bitcoin, y el cajero automático supone su primer contacto con esta moneda. Es una persona que probablemente no tenga una relación preexistente con nadie en el espacio Bitcoin. Una persona que no tiene una cartera Bitcoin porque ni siquiera sabe que la necesitará. De hecho desconoce lo que es una cartera Bitcoin, ni sabe que en realidad es lo más parecido a un llavero. Camina hasta dicha máquina, la cual ha sido diseñada por ingenieros para simular la experiencia de un cajero automático, a pesar de que dicha experiencia no comparte absolutamente nada con el caso de uso al que nos referimos.

Por lo tanto, accedes al cajero y este intenta darte bitcoins en los mínimos clicks posibles, con una cantidad mínima de interacción. ¿Es esta una forma de fidelizar la marca Bitcoin? ¿Es esta una forma de crear una aceptable experiencia de usuario? ¿Es esta la manera de facilitar la entrada a nuevos usuarios? Quiero decir, el cajero se limita a darte los bitcoins. El usuario nuevo no está preparado para una experiencia de ese tipo. *Abra su teléfono y muestre su código QR.* Dices, "¿Qué? ¿Qué es un código QR? … Espera, voy a ver en Google Play. Voy a buscar por *código QR*. Ajá, existen varias aplicaciones que los escanean, … tal vez debería usar esta. No, debería usar esta otra. Creo que voy necesitar una cartera Bitcoin. ¡Vaya, hay nada menos que 26 carteras Bitcoins! ¿Cuál será la mejor? No tengo ni idea. Usaré esta llamada Circle, …. Vaya, esta requiere una relación preexistente. Te comienzas a inquietar. Usaré entonces esta otra que se llama Coinbase, … ¡Pero bueno! ¡Esta también requiere una relación preexistente!, Puff".

Al final, tengo mi billetera Bitcoin y muestro mi código QR al cajero automático, meto algo de dinero, y obtengo bitcoins. ¿Y ahora qué voy a hacer con ellos? Todas estas preguntas se agolpan en tu cabeza. ¿Quién cobra en bitcoins? ¿Dónde puedo gastarlos? ¿Cómo los transfiero? ¿Cómo los guardo de manera segura? ¿Se perderán si pierdo mi smartphone? No tengo ni la menor idea. ¿Por qué? Porque esta máquina infernal no me ha dado información alguna. Se ha limitado a darme los bitcoin, y en 15 segundos ha terminado la operación poniéndose a la espera del siguiente cliente.

Si yo diseñara un cajero automático Bitcoin, en primer lugar, lo situaría en el lugar adecuado. En segundo lugar, lo despojaría de todo el idioma inglés posible; lo programaría para interactuar en español, tratando así de impulsar el modelo de remesas. En tercer lugar, la función más visible que tendría sería *"Enviar dinero a la Ciudad de México"*. Así lo haría. Porque me gustaría que la gente usara bitcoins para algo práctico. Cuarto, tendría un gran botón bien visible en pantalla que dijera *Hablar con un Humano*. Tendría un dispositivo conectado a Internet con una cámara orientada hacia el frente y una pantalla tamaño tablet, pero no lo usaría para ofrecer un servicio de videoconferencia al cliente. De pronto aparecería una ventana de Skype y voilá, una persona en pantalla. "¿Qué demonios es Bitcoin? ¿Dónde puedo utilizarlo?", "Caballero, veo que está usted en una cafetería situada en la Avenida 25. Tiene usted tres tiendas cercanas que admiten bitcoins. Permítame mostrarle un breve video introductorio sobre Bitcoin. Reúna a todos los niños en la tienda y pongámonos todos a bailar una cancioncita sobre Bitcoin. Veamos otro video". No quiero interactuar sólo durante 15 segundos. Quiero interactuar durante dos horas y conseguir que todos mis amigos se sienten delante de la máquina, vean los videos y aprendan sobre Bitcoin. Videos entretenidos que me informen dónde puedo gastarlos. Que me sugiera sobre carteras Bitcoin. Cómo poder enviar bitcoins directamente a mi smartphone. Se trata de la formación de una lealtad, una marca y una experiencia. Eso no sería una simple interacción de 15 segundos. Esta sería la primera experiencia de mucha gente con Bitcoin. Tenéis la oportunidad de hacer de esto una experiencia verdaderamente profunda, significativa y educativa. Pero no lo estáis haciendo.

Los Niños Usan Bitcoin

Otra pequeña pista: los niños están usando Bitcoin. La media de edad en todo el mundo para poder abrir una cuenta bancaria es de 16 años. En el momento en que esos niños de 16 años abran su primera cuenta bancaria, me gustaría que ya tuvieran por lo menos seis años de experiencia utilizando Bitcoin. Porque entonces, en su primera experiencia con los bancos dirían, "¿De tres a cinco días por una transacción? ¿Días hábiles? ¿Qué diablos es un día hábil? ¿Qué *quiere decir* que cerráis a las 5:00 de la tarde? A las 5:00 de la tarde yo estoy aún trabajando. ¿Qué significa que tengo que pagar para que usted guarde mi dinero? Eso es ridículo ¿Alguien por aquí ha oído hablar de Bitcoin?".

"Para muchos jóvenes, Bitcoin será su primera experiencia económica. En el momento en que lleguen a un banco, ellos ya habrán tenido sus primeras experiencias en finanzas".

Esa es la experiencia que quiero. ¿Adivináis? Los niños de diez años abren cuentas Bitcoin. ¿Y sabéis por qué? Porque pueden descargar la aplicación y controlar así por primera vez en su vida su propio dinero. Por lo tanto, es necesario tener conversaciones con los niños para explicarles lo esencial de la vida, pero también es necesario hablarles de claves privadas. Esto supone una enorme brecha generacional. Para muchos jóvenes, Bitcoin será su primera experiencia económica. En el momento en el que lleguen a un banco, ellos ya habrán tenido experiencia financiera anteriormente. Eso supondrá una gran ventaja para ellos.

Nueva Tecnología, La Misma Terminología

Entonces, ¿cómo llegar a una población completamente nueva? En parte el truco consiste en no tratar de ser un banco. No tratéis de hacer nada relacionado con la banca tradicional. Lo único que podéis conseguir así es contaminar sus mentes. Debéis procurar que los nuevos usuarios tengan una experiencia completamente nueva y diferente con Bitcoin, diferente a la que puedan ver en cualquier banco tradicional. No debería parecerse a una cuenta de cheques. Por Dios, no uséis la palabra "cheques".

Entra en cualquiera de las casas de cambio: Circle, Coinbase. ¿Cuál es el nombre de tu cuenta en Coinbase? Parece una cuenta bancaria, tiene su saldo y te muestra un estado de cuenta. ¿A quién contrataron para hacer ese diseño? ¿Qué significa la palabra "Checking"? Significa que es una cuenta en la que se pueden extender cheques. Sé que esto es América y que llevamos 25 años de retraso en *Fintech*. El resto del mundo no utiliza ya cheques bancarios, te lo garantizo. ¿Qué es un cheque? Un cheque es un artilugio por el cual, una abuela puede hacer que 20 personas haciendo cola detrás de ella en el supermercado pierdan todos la paciencia al mismo tiempo. Lo uso para pagar mi alquiler todos los meses. No sé muy bien por qué. Lo cierto es que no puedo hacerlo de otra forma. Es completamente de locos que en 2015 tenga que firmar un pedazo de papel y enviarlo a través del sistema postal para que mi propietario pueda acercarse al banco y depositarlo en su cuenta. De ese modo, de tres a cinco días laborales, recibirá el dinero en su cuenta, todo esto después de que le hayan cargado cinco dólares de comisión.

Realmente no necesitamos esforzarnos para que Bitcoin aventaje a los bancos. Todo lo que se necesita para que Bitcoin demuestre su superioridad ante los bancos, es que una persona utilice Bitcoin durante una semana, el banco se encargará del resto. Congelarán la cuenta, dirán que está cerrada, que lo mantendrán así de tres a cinco días hábiles. Tan sólo se han manejado bitcoins. Pero el banco ya se encarga de todo.

La Maravilla de las Transferencias Bancarias Internacionales

En cierta ocasión fui invitado a dar una de mis charlas al Bundesbank, el Banco Federal Alemán. Me pagaban por hablar pero no sabían cómo hacerlo en bitcoins, lo cual es un verdadero problema dado que usualmente cobro en bitcoins. Entonces, acordamos hacerlo vía transferencia bancaria. Tardó 16 días en hacerse efectiva. Primero, preguntaron por mi número de cuenta bancaria. El siguiente día dijeron que necesitaban el número SWIFT. En aquel momento mi banco se encontraba cerrado por lo que me fue imposible obtener dicho número SWIFT. A la mañana siguiente lo conseguí y se lo envié a los Alemanes. Ahora su banco era el que estaba cerrado. Pasado otro día más, por la mañana, utilizaron el número SWIFT que les había enviado pero descubrieron que era un número SWIFT incorrecto. Se trataba de un número SWIFT para dólares norteamericanos, no para moneda extranjera. Asique me enviaron un email, de nuevo en el momento en que mi banco se encontraba de nuevo cerrado. Al día siguiente conseguí el otro número SWIFT y se lo envié de nuevo a los Alemanes, coincidiendo de nuevo con horario no operativo de su banco. Me enviaron la transferencia. Mi banco la echó un ojo y dijo, "Bundesbank, nunca hemos oído hablar de ellos. Suena raro. Vamos a bloquear la operación 14 días por si la terminaran cancelando". Este es el tercer banco central más grande del mundo. Se trata del Banco Federal Alemán, ellos no cancelan operaciones. 14 días después y esta es la parte interesante, me dijeron, "Dinero retenido, dinero liberado". Liberaron tan solo 80 dólares de un total que se representaba con cuatro cifras. 80 dólares. ¿Porqué 80? ¿Qué demonios es eso? ¿Que piensan que voy a hacer con 80 dólares? ¿Os estáis burlando de mi? No tiene ningún sentido.

El Problema de las Metáforas de la Banca Tradicional

Esto es lo que estamos haciendo con Bitcoin. Si estás introduciendo un nuevo producto en este mercado y eres un diseñador, ¿qué partes de esta metáfora de diseño desearías utilizar en tu nuevo producto? De acuerdo con el mercado Bitcoin, todas ellas, tratando de persuadir así a la gente de que esto es como su banco de toda la vida. Bitcoin no tiene ninguna de las cosas consideradas más atractivas de un banco, como la capacidad de revertir fácilmente las transacciones u obtener un reembolso. Si pierdes tu contraseña te la regeneran. Bitcoin no tiene nada de eso. Y tampoco tiene ninguna de las peores cosas de los bancos, pero no prestamos atención a lo que está pasando. Por tanto, hemos creado así expectativas que son totalmente engañosas para el usuario.

> *"Bitcoin necesita desesperadamente Diseño. Ha sido creado por ingenieros y actualmente es absolutamente inescrutable para el público medio".*

Innovación, Diseño y Adopción

Bitcoin necesita desesperadamente Diseño. Ha sido creado por ingenieros y es absolutamente inescrutable. Pero tengo esperanzas porque esto ya lo hemos hecho antes. Dí mis primeros pasos en Internet en 1989, y por aquel entonces era ilegal realizar actividades comerciales en Internet. Era propiedad de la National Science Foundation, y estaba destinada sólo para académicos (o digamos más bien, gente que "encontraba" la contraseña para acceder a un sistema informático académico). Por entonces, el sistema DNS estaba todavía en su infancia. La mayoría de los sistemas todavía no tenían nombres asignados al sistema DNS. No estaba bien estructurado. Muchas de las cosas más interesantes sólo se podían encontrar a través de su dirección IP. Yo iba de acá para allá con una lista de direcciones IP en mi cartera, y así fue como pude organizar mi acceso continuado a estas cosas tan interesantes. Para poder usarlas, necesitaba tener habilidades con la línea de comandos de UNIX.

No había absolutamente nada que indicara que podría llegar a ser utilizado algún día por mi madre. Mi madre me llamó un día y me dijo que su aparato estéreo estaba estropeado. Traté de averiguar por qué. Ella me dijo: "Está mostrando un mensaje de error. Está parpadeando con un *0:00.* "Me llevo muy poco tiempo averiguar que había desconectado el enchufe y que el reloj se había reseteado. Por lo tanto, el reloj estaba esperando ser puesto de nuevo en hora parpadeando con un "0:00". Mi madre era el tipo de persona que yo hubiese querido que usara Internet para poder así conversar sobre ello con ella, pero era evidente que aquello no iba a suceder. Pasaron casi 20 años desde el día en que envié mi primer correo electrónico hasta el día que mi madre supo enviar el suyo. Para ello, tuvieron que suceder muchas cosas. La más importante, el iPad. Mi madre consiguió hacerlo con un simple gesto del dedo y eso fue realmente lo único que lo hizo posible. No había manera de que *Internet en 1989* pudiera ser utilizado por la gente normal.

La Experiencia de Usuario o UX y La Sociedad

Hay un fragmento fantástico de un programa de televisión matinal de 1994 en el que los periodistas están en corrillo justo antes de dar comienzo al show.

Discuten acerca de lo que contarán sobre Internet y tratan de poner orden a la información que tienen. Un periodista pregunta a sus compañeros: "Entonces, espera, ¿Internet es eso con el signo *arroba*?" "No, no, eso es el correo electrónico. Internet es lo que lleva las *tres uves dobles*, con puntos y barras". "Ah, vaya. Pensé que eso era el correo electrónico". "No, eso es Internet". "Pero ¿no es eso la web?"

Aquello conducía a una discusión interminable. Se trataba de un sistema diseñado por ingenieros. Un sistema inescrutable. Pasaron entonces dos cosas. Primero, conseguimos que la tecnología fuera mucho más fácil de entender, mucho mejor y más pulida. Otra cosa importante sucedió también: la sociedad tomo consciencia de aquello que estaba pasando. Hoy en día, casi cualquier persona conoce exactamente la diferencia entre un signo @ y www, a pesar de que originalmente es un diseño horrible. La sociedad aprendió el idioma de Internet porque fue lo suficientemente valioso como para aprenderlo.

> *"La sociedad aprendió el idioma de Internet porque fue lo suficientemente valioso como para aprenderlo".*

Mientras que construíamos un Internet más accesible, la sociedad captó y también entendió las partes más inescrutables de Internet. Lo mismo sucede con Bitcoin. Voy a las conferencias más multitudinarias, donde nunca se ha oído antes hablar de Bitcoin y les digo: "Escuchad, no debéis preocuparos. Alguien en vuestra vida podrá explicaros Bitcoin. A ellos, cuando terminen de limpiar su habitación, pedirles que os enseñen como funciona Bitcoin". Vuestro hijo de 10 años lo entenderá. He conocido a niños que utilizan interfaces web para crear sus propias altcoins.

Una de las preguntas interesantes que me hacen a menudo es "¿Cuántas monedas habrá?" La respuesta a esa pregunta es equivalente a la de la pregunta "¿Cuántos bloggers habrá en Internet?" Pues todos nosotros. No habrá cientos de monedas, sino miles, decenas de miles incluso. Cuando un niño de tan sólo 6 años puede crear una moneda llamada Joeycoin para utilizarla en su escuela en un concurso de popularidad, el hecho de que esa moneda pudiera llegar también a ser global, infalsificable, escalable o ampliable y que pudiera llegar a ser utilizada internacionalmente, no es algo que preocupe a Joey, siempre y cuando a sus cinco amigos realmente les guste usar Joeycoin.

Desafortunadamente, un competidor, Mariacoin, aparece en escena, y la guerra de toda la vida entre monedas comienza de nuevo. Esto sucederá. Sabemos esto en parte porque los niños habitualmente crean monedas jugando. Dejas a niños solos en un jardín de infancia, e inventarán monedas, utilizando gomas elásticas, tarjetas de Pokemon, pequeños cubos. Comenzarán a acaparar, intercambiar, intercambiar favores por ellas, y finalmente, entrarán en una batalla en defensa de su moneda imaginaria que acaban de inventar. Esta es una experiencia humana.

Acabamos de inventar la moneda más impresionante del mundo. Vuestro trabajo ahora es encontrar las metáforas de diseño adecuadas para que funcione para todo el mundo.

Muchas gracias.

El Dinero como Tipo de Contenido

Bitcoin South Conference; Queenstown, Nueva Zelanda; Noviembre de 2014

Enlace al Video: https://www.youtube.com/watch?v=6vFgBGdmDgs

Buenos días a todos. Hoy quiero hablar sobre un nuevo tema en el que he estado trabajando: el dinero como *tipo de contenido*.

Bitcoin ha introducido una transformación fundamental en cómo el dinero será visto en el futuro, independizándolo completamente del medio de transporte subyacente y convirtiéndolo en un tipo de contenido independiente como cualquier otro.

¿Qué quiero decir con esto? Una transacción Bitcoin es simplemente una estructura de datos firmada, cuyo código puede ser ejecutado en cualquier parte del mundo. Mucha gente cree que una transacción Bitcoin tiene que ser transmitida a través de la propia red Bitcoin. Eso no es así. Una transacción Bitcoin necesita llegar a los mineros y ser incluida en un nuevo bloque, pero no necesita ser transmitida estrictamente a través de la red Bitcoin. No hay nada especial en la red Bitcoin. Simplemente propaga transacciones y bloques. Una transacción puede ser transmitida a través de cualquier medio de comunicación.

Una de las cosas mágicas de Bitcoin, es que la transacción no incorpora mecanismos de seguridad en sí misma. La seguridad reside en la *Prueba de Trabajo* proporcionada por los mineros, y la firma digital de la transacción es puesta allí por el emisor de la misma, haciendo uso de sus propias llaves o *claves privadas*. Ningún *dato confidencial*, *sensible* o *secreto* es incluido en una transacción Bitcoin. Permitidme que os explique lo que quiero decir con esto.

Tarjetas de Crédito: Inseguras por Diseño

Si utilizo un sistema de punto de venta y una tarjeta de crédito o débito en un comercio, lo que estoy enviando al comerciante (a través de una larga serie de intermediarios) es el número de la tarjeta, su fecha de caducidad y el código CCV2 que aparece en la parte posterior de la misma. Con estos simples datos lo que estoy transmitiendo son las propias claves secretas de la tarjeta. Estoy transmitiendo los códigos de acceso que permiten operar en mi cuenta. Esa información trasmitida es *altamente sensible*. Si llega a ser capturada durante la transmisión, mi cuenta podría verse comprometida. Podrían perfectamente cargar varias compras ajenas a mi en mi propia cuenta, ya sea por parte del mismo comerciante, por cualquiera de los intermediarios, o por algún hacker que haya logrado robar mis datos a cualquiera de los intermediarios que haya descuidado la *seguridad*. Para *tratar* de evitar que eso suceda, la información de mi tarjeta debe ser extremadamente protegida durante todo el proceso.

Desde el momento en que la tarjeta sale de mi bolsillo hasta que el dinero llega a la cuenta del comerciante, sus datos son transportados a través de una red que simula una serie de furgones blindados virtuales. Los datos son cifrados desde el punto de venta hasta el backend o los motores del sistema del comerciante. Desde el backend del comerciante, los datos son de nuevo cifrados al ser reenviados a Visa para su procesamiento. Desde Visa, los datos son una vez más cifrados hasta llegar a los bancos origen y destino, cifrándose así en todos y cada uno de los pasos, porque los datos transmitidos representan la mismísima clave secreta. Si ese cifrado fallara en cualquier punto de la cadena, la seguridad de mi tarjeta se vería comprometida.

Esa tarjeta, también se almacena en muchos de los puntos de tránsito. Se almacena para propósitos históricos, lo que es una peligrosísima idea dado que produce un valioso tesoro concentrado, un posible almacenamiento vulnerable de datos, suculento objetivo con los que algunos hackers podrían llegar a comerciar. Lamentablemente eso ha ocurrido en demasiadas ocasiones. En EEUU, Target y Home Depot, dos minoristas de grandes dimensiones, han sufrido incidentes, donde los datos, de entre 50 y 60 millones de tarjetas de crédito, les han sido substraídos. JPMorgan Chase ha sufrido ataques recientemente por los que ha llegado a tener 75 millones de cuentas comprometidas. Todo esto *NO* está sucediendo porque estas empresas estén actuando de manera delictiva en su labor de protección de las tarjetas de crédito de sus clientes.

> *"Lamentablemente sólo existen dos tipos de compañías: las que no toman las medidas más adecuadas para asegurar las tarjetas que les fueron confiadas y las que tarde o temprano terminarán relajándolas peligrosamente. El problema es que las tarjetas son inseguras por diseño, porque sus propios datos, en sí mismos, representan su clave secreta. Si transmites dichos datos, estás exponiendo tu cuenta bancaria".*

Lamentablemente sólo existen dos tipos de compañías: las que no toman las medidas más adecuadas para asegurar las tarjetas que les fueron confiadas y las que tarde o temprano terminarán relajándolas peligrosamente. O bien, ya han sido hackeadas o lo serán en el futuro. Lamentablemente esas son las dos únicas categorías. Nadie es inmune. No existe manera de proteger millones de datos que representan claves privadas contra hackers muy motivados por sustraerlas. Sencillamente se trata de algo imposible. La realidad es que no sabemos cómo lograrlo. No existe ningún mecanismo de seguridad de la información que nos permita protegerla de todos los posibles ataques existentes y de todos aquellos aún por descubrir. Las tarjetas de crédito y débito son inseguras por diseño, porque sus propios datos representan su mismísima clave secreta. Si transmites esos datos, expones completamente tu cuenta bancaria.

Transacciones Bitcoin: Seguras por Diseño

Bitcoin es fundamentalmente diferente. Lo que una transacción Bitcoin trasmite no es la clave privada, sino la simple *firma digital* de un mensaje. Es una *autorización*. Esa autorización tiene dos referencias externas: (1) de donde procede el dinero a enviar, haciendo para ello referencia a una *salida no gastada* o UTXO de la cadena de bloques o *Blockchain*, y (2) una referencia a donde deseo enviar el dinero, mediante la creación de un *impedimento*, un bloqueo o tipo de limitación que *impone* quién podrá gastar ese dinero, por lo general una *clave pública* o una dirección Bitcoin. Dicha transacción no contiene *datos sensibles*. Si robaras la información contenida en la transacción, todo lo que obtendrías sería, la dirección de donde procede el dinero, a donde se pretende enviar, y qué cantidad de dinero es enviada. Nada más. La firma digital incluida en la transacción *no revela nada*. Las direcciones *no revelan nada*. No aparecen identidades. Podrías imprimir la transacción. Podrías anunciarla en una gran cartelera. Podrías leerla, con todos sus datos, en voz alta, a todos tus vecinos, desde la azotea de tu casa. Una transacción Bitcoin se puede transmitir con toda tranquilidad a través de una conexión Wi-Fi completamente insegura. O por señales de humo. O utilizando señales luminosas visibles a todo el mundo. Utilizando palomas mensajeras. Es igual, no importa. No hay por qué preocuparse. Ningún dato contenido en el mensaje transmitido por la transacción podría ser comprometido o explotado por un malhechor.

"Una transacción Bitcoin se puede transmitir con toda tranquilidad a través de una conexión Wi-Fi completamente insegura. O por señales de humo. O utilizando señales luminosas visibles a todo el mundo. Utilizando palomas mensajeras. Es igual, no importa. No hay por qué preocuparse. Ningún dato contenido en el mensaje transmitido por la transacción podría ser comprometido o explotado por un malhechor".

El Dinero como un Tipo de Contenido

La mayoría de las personas no se dan cuenta de lo que significa convertir el dinero en un *tipo de contenido*. Hemos cogido una transacción, que sólo ocupa 250 bytes, y la hemos separado del *medio de transporte*, por lo que ya no depende de ninguna seguridad subyacente. La hemos hecho independiente para que pueda ser verificada por cualquier nodo. Para que sea independientemente verificada por *cualquier* sistema que tenga una copia completa de la cadena de bloques, asegurando que se trata una transacción, que transfiere fondos *aún no gastados*, correctamente *autentificada* y debidamente *firmada*, de hecho, podría ser verificada incluso por sistemas que sólo tienen una copia parcial de la cadena de bloques. Esa transacción puede ser verificada en segundos. Todo lo necesario es hacerla llegar a un nodo de la red capaz de hablar con los nodos mineros. Una vez que la transacción es inyectada en la red Bitcoin y una vez que ha sido suficientemente propagada, se puede tener la casi total certeza de que la transacción será finalmente validada e incluida en la cadena de bloques. Observando los datos de cualquier transacción, puedo hacer un cálculo para saber si contiene la *actualmente* suficiente *comisión* o *propina*, y poder así hacer ciertas suposiciones sobre cómo los mineros tratarán dicha transacción, porque conozco las reglas por las cuales los mineros se rigen en su red de consenso descentralizado. Sé que una vez que la transacción se ha propagado lo suficiente, aparecerá *pronto* en un nuevo bloque visible a tu cartera Bitcoin.

Acabar con las Transacciones Bitcoin es Imposible

No hay nada mágico en una transacción Bitcoin. Pensemos en ello por un momento. ¿De qué modo se pueden codificar 250 bytes y transmitirlos a través de la red?

Alguien me preguntó recientemente sobre algo que se me pregunta con mucha frecuencia, "¿Podrían las tiranías llegar a bloquear o prohibir la transmisión de transacciones Bitcoin?" La respuesta es *no*, pero no creo que la gente comprenda de verdad *por qué* es así. Os mostraré un par de ejemplos teóricos para explicaros mejor lo que quiero decir.

Trasmitiendo Transacciones Bitcoin vía Skype usando Emoticonos

El primer ejemplo que quiero utilizar es, la codificación de transacciones Bitcoin como emoticonos o más concretamente como emoticonos de Skype. Skype cuenta con un conjunto de emoticonos que podría verse como un alfabeto de 128 caracteres. Con él te permite enviar hasta 128 gestos. Sonrisas, pulgares hacia arriba, pulgares hacia abajo, días soleados, corazones que lloran, pasteles de cumpleaños, ya sabes, todo ese tipo de cosas. Ahora, veamos eso desde una perspectiva de *contenido de la información*. Podéis ver esos emoticonos como un conjunto de caracteres. Como informático, veo esos emoticonos y me digo, "Muy bien, con esos emoticonos lo que tengo es un esquema de codificación digital". Eso me permitiría perfectamente enviar una transacción de 250 bytes codificada con unos 500 caracteres. Con 500 emoticonos de Skype. Una transacción Bitcoin convertida a emoticonos.

Podrías literalmente escribir un pequeño script, probablemente dos simples líneas de código Python. Si eres realmente eficiente programando, probablemente se reduciría a una simple línea. No sería ni necesario apoyarse en librerías Python. En el script, puedo partir de la representación hexadecimal de una transacción Bitcoin y codificarla en emoticonos. El resultado puedo pegarlo en una ventana de Skype en cualquier parte del mundo. Siempre y cuando el destinatario que reciba esa cadena de emoticonos se la suministre a otro script similar capaz de descodificarla en su versión original hexadecimal, y simplemente con que después la inyectara en la red Bitcoin, dicha transacción será admitida para ser procesada. El receptor podría ser perfectamente un robot. El destinatario de la transacción compuesta por emoticonos podría ser una estación de escucha automatizada diseñada para decodificar emoticonos contenidos en transacciones y transmitir el resultado a la red Bitcoin.

Ahora, por favor, explicadme, ¿de qué manera se puede parar esto?, aparte de suspendiendo los servicios de Skype. Si cerraran Skype, podría usar Facebook. Si cerraran Facebook, podría usar Craigslist. Si cerraran Craigslist, pondría mi transacción en una revisión de TripAdvisor. Si cerraran TripAdvisor, lo publicaría como un comentario en la historia de algún artículo de la Wikipedia. Si cerraran la Wikipedia, lo publicaría como fondo de una imagen JPEG de una de las fotos de mis vacaciones.

> *"El dinero es ahora contenido de información completamente desconectado".*

El dinero es ahora contenido de información completamente *desconectado*. No hay absolutamente nada que puedas hacer para evitar que la información viaje desde cualquier lugar del mundo a cualquier otro lugar, cuando existe una abundante cantidad de mecanismos de comunicación multimedia totalmente interconectados como tenemos hoy en día.

Transmitiendo Transacciones Bitcoin a través de Onda Corta

Vayamos incluso más allá y pongámonos en el supuesto de que no tuviéramos Internet. Bajo ese supuesto se me ocurrió una idea aún más lunática, la transmisión de transacciones Bitcoins a través de onda corta, espectro ensanchado por salto de frecuencia, en ráfagas de radio.   Esto, poniéndose en plan guerrilla.

Durante la Segunda Guerra Mundial, en la Francia ocupada, los aliados arrojaron miles de *radios de onda corta* (kits completos en pequeños paracaídas) desde aviones, para que los Partisanos en tierra, pudieran ocultarlos en graneros, en huecos de árboles, en edificios abandonados, en puentes, y los utilizaran para *comunicarse* con varios centros de mando Aliados en toda Europa, bajo las mismísimas narices de la fuerza nazi ocupante. Una de las cosas sobre la radio de onda corta, es que no solo tienes un *alcance enorme*, sino que tu transmisión, usando ciertas frecuencias, también puede rebotar en la *estratosfera*. Por aquel entonces lo utilizaron para comunicación de voz, números codificados, código *Morse*, y varios esquemas de encriptación de Libreta de un solo uso.

Hoy podría obtener un kit que me permitiera conectar un transmisor de radio de onda corta muy simple a mi portátil a través de USB. Y entonces lo único que necesitaría sería una antena. Lo bueno de esto, es que con la radio de onda corta, una antena consiste en un simple trozo de metal suficientemente largo: una línea de ferrocarril, un tendedero, un cable de electricidad averiado, una cerca o vaya metálica, una cerca de alambre de púas. Algo que he observado que aquí en Nueva Zelanda tenéis un montón. Se ven justo alrededor de esas cosas blancas con mucho pelo rizado que están en todas partes: las ovejas.

De manera que así, la transmisión de una transacción Bitcoin, implica conectar el transmisor de onda corta a un portátil, conectarlo a un poste de una valla metálica, presionar "intro" y transmitir una ráfaga de transacción Bitcoin durante 25 segundos. Mientras haya una estación receptora dentro de los miles de kilómetros circundantes, la cual esté conectada a la red Bitcoin y que pueda mantenerse escondida en lugar seguro, tendríamos un receptor pasivo que no es posible *triangular* ni por lo tanto *localizar*. Ese dispositivo de escucha, podría inyectar la transacción en la red Bitcoin. Un guerrillero que necesitara comprar algo, podría construir la transacción fuera de línea, y cuando estuviera lista, saldría al campo, conectaría el transmisor a un tendedero metálico, presionaría "intro", transmitiría la transacción durante 25 segundos, recogería el equipo y desaparecería de nuevo en el bosque. ¿Cómo diablos paras eso? Sencillamente no es posible. Esa es la respuesta, no puedes pararlo. Pero esto es solo el comienzo.

Separando el Medio y el Mensaje

Una vez que has comprendido que el dinero se ha convertido en un tipo de contenido, que las transacciones han sido desconectadas del medio, surgen algunas características secundarias realmente importantes. Veréis, como dijo algún famoso una vez, el medio es el mensaje. La razón principal por la que el medio es el mensaje es porque el medio *limita, transforma* y, en muchos casos, *distorsiona* el mensaje.

Cuando el medio es la TV, tu mensaje dura 18 minutos, se ve interrumpido por los espacios publicitarios. Ese es tu mensaje; No hay otro formato que pueda encajar. Entonces, te ves obligado a crear un mensaje que se adapta a ese medio. Y se asigna el valor a tu mensaje, en base a la suposición equivocada de que es equivalente al costo de producción. La televisión, por ejemplo, impone un cierto coste a la producción de video. Las personas que están en ese negocio confunden la suposición de que el coste de producir para TV es el mismo que el propio valor del programa a emitir. Cuanto más gaste en él, más valioso será.

Podéis haceros una idea del pavor que viven cuando aparece en escena algo como YouTube que reduce el coste de producción a cero. ¿Cuál creéis que es la suposición inmediata que se hacen las personas de ese sector? Si el coste es cero, entonces el contenido no tiene valor ninguno. Ese es un lamentable malentendido que suele aparecer cuando separas el contenido del medio. Al separar el mensaje del medio, su percepción del valor cambia del costo de producción al valor que realmente tiene para el consumidor del mismo.

"Cuando el costo de imprimir es astronómico y los medios de impresión están sólo al alcance de unos pocos, lo único que se imprimen son las Biblias de Gutenberg".

Permitidme poner un ejemplo aún más antiguo. Cuando el costo de imprimir es astronómico y los medios de impresión están sólo al alcance de unos pocos, lo único que se imprimen son las Biblias de Gutenberg. El medio define el rango de expresión del mensaje y lo restringe sólo a los mensajes más grandiosos e importantes para la sociedad. Limita el rango de expresión al imponer enormes costes de producción.

¿Qué crees que Gutenberg hubiera pensado sobre Twitter, capaz de llevar el coste de producción a cero, lo hace universalmente disponible, ubicua y gratuitamente? Pasas de imprimir la Biblia de Gutenberg a responder a un tweet con una de mis expresiones favoritas, la opinión expresada con tres caracteres, "SMH" (shaking my head), que significa "negando con la cabeza". Cuando el "Profesor Bitcorn" dice: "El precio de Bitcoin va caer en picado", en Twitter puedo expresar toda una gama de opiniones y análisis reflexivos como *negar con la cabeza en un gesto de desesperación*. Tres simples caracteres o letras y he expresado mi opinión al mundo. Si lo miras desde una perspectiva objetiva, probablemente no encuentres valor a este mensaje. Cuando se asume erróneamente que si el coste de producción es cero y que el mensaje aparenta ser trivial entonces toda combinación de medio más mensaje tiene que ser también inútil y debe ser igualmente trivial y no debe tener ningún valor, se está cometiendo el mismo error que las personas han venido cometiendo a lo largo de la historia.

Cuando Twitter apareció, la gente supuso que solo se utilizaría para cosas triviales. Y sin embargo, hace un año vi a la *CNN Internacional* cubriendo la revolución Egipcia. Estaban transmitiendo en vivo los tuits de los Egipcios revolucionarios en las calles de El Cairo, dando informes en vivo sobre lo que estaba sucediendo minuto a minuto. Los presentadores de la CNN realmente no estaban haciendo nada. Apuntaban la pantalla y decían: "Mira, tenemos otro tuit. Y aquí hay otro tuit de alguien que no conocemos. Aquí hay otro tuit". Se veían así reducidos al papel de una modelo en un programa de televisión diciendo: "Y este refrigerador maravilloso será suyo si acierta lo que hay detrás de la puerta número uno". Me resulta extremadamente curioso ver a uno de estos grandes periodistas como Anderson Cooper, limitándose básicamente a leer tuits en una pantalla.

Porque en su momento se burlaron de ello, hicieron la suposición equivocada de que si el coste de producción era cero, el valor del mensaje sería igualmente cero. Confundieron el medio con el mensaje. Asumieron erróneamente que su control sobre el medio era fuente de calidad. Y después, cuando advirtieron una gran pérdida de calidad, se aferraron al control, pensando que el control era el único medio para alcanzar la calidad, convencidos de que si se eliminaba el control se eliminaría al mismo tiempo la calidad. Ese es el elitismo apestoso y desvergonzado que atenta contra toda razón y representa absolutamente la peor opción existente. Asume que los protectores o guardianes del sistema son fuente de calidad, y de pronto todos en dicho sistema adoptan el comportamiento de los guardianes del mismo. Asumen que por el hecho de que sean ellos los que tienen el medio más caro y costoso, significa que su mensaje debe ser escuchado.

"Hicieron la suposición equivocada de que si el coste de producción era cero, el valor del mensaje sería igualmente cero. Confundieron el medio con el mensaje. Asumieron erróneamente que su control sobre el medio era fuente de calidad. Y después, cuando advirtieron una gran pérdida de calidad, se aferraron al control".

En el momento en que separas el mensaje del medio y lo abres a una amplia gama de expresiones, sí, es cierto que se expresarán los mensajes más triviales de tu cultura, incluido "SMH", pero ocasionalmente también se expresarán también los mensajes más interesantes de la misma.

Hoy en día en las escuelas estadounidenses, los niños leen *Los Documentos Federalistas*, que es una colección de ensayos públicos escritos en el siglo XVIII por algunos de los padres fundadores que debaten sobre el significado de la democracia para la nueva república. En 100 años, la gente leerá *Los Tweets Federalistas de la Revolución de El Cairo*. No es una idea tan estúpida. Es el camino de la civilización humana. Lo hemos visto una y otra vez.

Ahora se burlan de Twitter mostrándolo como algo trivial porque no comprenden la distinción entre el mensaje y el medio. La televisión, en su día, también fue objeto de burlas, con el argumento de que era un pasatiempo trivial ya que oscurecía el arte de la cinematografía. La cinematografía también en su momento fue considerada un pasatiempo trivial porque abarataba y vulgarizaba el arte teatral. El teatro, por su parte, también fue considerado un pasatiempo vulgar y barato de los Victorianos porque trivializaba las grandes obras dramáticas de los Romanos y los Antiguos Griegos. Si sigues este trayecto histórico, podemos imaginar a Aristóteles diciendo, "La filosofía ha muerto porque los jóvenes de hoy en día quieren ver representaciones dramáticas en lugar de leer mis libros de filosofía". Probablemente se quejaría también por el pelo largo de los jóvenes de entonces. Cada generación confunde el medio con el valor del mensaje considerando el siguiente paso evolutivo del medio, el cual ofrece mayor capacidad de acceso, mayor disponibilidad y que amplía el rango de expresión, como algo trivial, vulgar y que deprecia el mensaje.

> *"Cada generación confunde el medio con el valor del mensaje considerando el siguiente paso evolutivo del medio, el cual ofrece mayor capacidad de acceso, mayor disponibilidad y que amplía el rango de expresión, como algo trivial, vulgar y que deprecia el mensaje".*

Lo que no entienden es que cuando se abarata el medio, se libera el mensaje y este se eleva. Hoy podemos expresar una amplia gama de mensajes. Sí, los primeros serán triviales. La razón por la que serán triviales es porque el medio anterior limitaba ese tipo de expresión. No tenía la capacidad de ofrecer ese nuevo tipo de expresión. Sí, tendrás el "SMH" (negación con la cabeza). Pero también tendrás tweets en vivo de la revolución de El Cairo. Para cuando quieran darse cuenta, el nuevo medio *será* el verdadero mensaje de calidad. Entonces, podremos comenzar de nuevo y tildar al recién creado medio, de vulgar y barato.

El Dinero es El Mensaje, ahora Liberado del Medio

El dinero es un tipo de contenido y definitivamente lo hemos liberado del medio. El medio ha estado constituido por una serie de redes interconectadas que han estado separando el dinero por tamaño y tipo de receptor. Tenemos redes de pago para pequeñas cantidades. Redes de pago para transacciones de grandes cantidades. Redes de pago para dinero rápido. Redes de pago para dinero lento. Redes de pago para que las empresas se paguen entre ellas. Redes de pago para que los gobiernos se paguen entre ellos. Redes de pago para que los consumidores paguen a las empresas. Redes de pago para que los consumidores paguen a otros consumidores. ¡Vaya!, espera, estas últimas redes no las tenemos. No tenemos redes de pago para que los consumidores paguen a otros consumidores. Tampoco tenemos redes de pago que nos permitan hacer pagos muy pequeños, porque el medio tradicional no permite ese rango de expresión.

"El dinero es un tipo de contenido y definitivamente lo hemos liberado del medio".

No puedo enviar 20 centavos al otro lado del mundo, de un individuo a otro, porque el medio limita el mensaje. El coste de producción no me permite expresar ese rango de expresión transaccional. Pero ahora hemos separado el mensaje del medio. Hemos creado dinero como un tipo de contenido. Ese dinero ahora puede, a un coste de producción cercano a cero [N. del T.: El precio viene marcado por las comisiones o propinas ofrecidas al sistema para el procesamiento de la transacción, las cuales han aumentado significativamente en la actualidad en la red Bitcoin], expresar todo el rango de expresión transaccional, desde lo pequeño hasta lo enorme, de consumidor a consumidor, o de gobierno a gobierno.

¿Qué pasa después? Los guardianes o protectores del sistema anterior dicen que esta nueva red no es seria. Confunden el coste de la red de pago con el valor del servicio que presta. Los protectores de las antiguas redes de pago dirán que esta nueva forma de pago es vulgar y barata. Es algo que solo se usa para trivialidades. Las personas serias seguirán utilizando las sólidas redes de pago de calidad del pasado. Porque si pueden controlar y restringir el rango de expresión, creen que eso es sinónimo de calidad. No lo es. Es solo un coste de producción inflado. Es lo peor de su elitismo descarado. Se aferran al medio sin poder ver que ahora el mensaje se puede transportar por cualquier medio a un coste cero, instantáneamente.

¿Cuál es el primer uso de este nuevo modelo? ¿Cuál es el primer uso de este nuevo medio para enviar dinero? Hoy podemos enviar pagos de poca importancia. Recibo propinas en Twitter. Eso es algo que puedo demostrar y que además muestra claramente a la gente la diferencia. Puedo hacer algo que no podía hacer antes. Pero para la mayoría de las personas, eso carece de importancia. Para la mayoría de las personas, el hecho de que muestre la parte inferior del rango de expresión, simplemente les ayuda a reforzar la idea de que este es un medio barato y vulgar. Lo que no comprenden es que en este nuevo medio no todo es trivial; abarca todo el rango de expresión transaccional, desde lo trivial hasta lo enorme.

"La Cadena de Bloques o Blockchain
puede abarcar todo el rango de expresión
transaccional, desde la propina de 10 centavos
del tweet hasta la liquidación de una deuda de
100 billones de dólares".

Algún día un país registrará el pago de su factura petrolera en la Blockchain. Algún día será posible comprar una compañía multinacional vía Blockchain. Algún día podrás vender un portaaviones, con suerte para chatarra, vía Blockchain. Blockchain puede abarcar todo ese rango, desde el tweet de 10 centavos hasta la liquidación de una deuda de 100 billones de dólares. Aún no hemos tomado plena consciencia de ello. Todas estas operaciones se pueden hacer sin ninguna restricción impuesta por el medio subyacente. Esto no es solo consecuencia de que la transacción como tipo de contenido se pueda transportar a través de emoticonos de Skype. Esto es sencillamente un síntoma de que hemos liberado al dinero de todas las restricciones del medio de transporte subyacente. Hemos conseguido que el contenido sea el rey.

El Gran Arco de la Tecnología

Cuando el contenido comienza como el dominio de exclusividad, elitismo y acceso limitado, es utilizado por los grandes maestros para crear obras maestras. La Biblia de Gutenberg. Las primeras fotografías. El alunizaje en la luna, televisado por primera vez. Las grandes películas del pasado. Obras maestras hechas por grandes genios.

Entonces el medio cambia porque la tecnología se hace más disponible. La gente comienza a usarlo para un rango más amplio de expresiones, pero los guardianes del viejo sistema todavía se aferran a las viejas ideas. Aún tratan de hacer cosas grandiosas con su medio. Imprimen libros encuadernados en tapa dura, pesados y encuadernados en cuero, *Principia Mathematica*. Luego el medio se abre aún más y se tiende a la tapa blanda y las fotografías llegan al alcance de las personas de la calle. Los guardianes del pasado todavía se aferran al pasado, pero ahora no pueden pretender seguir realizando sólo obras grandiosas, así que se defienden con grandilocuencia. Dicen: "Hay un cierto *je ne sais quoi* en las antiguas películas de cinta. Hay una cierta calidad en los discos de vinilo que los CDs nunca tendrán. Un presentador de televisión realmente tiene autoridad. ¿No te acuerdas de Walter Cronkite?. Un periódico siempre será la fuente de opinión autorizada y realmente vale la pena que siga siendo impreso en papel". Pura grandilocuencia.

La grandiosidad se acabó. La calidad se terminó. Ahora, sólo les queda aferrarse al control fingiendo que el control sigue siendo fuente de calidad.

Finalmente, en ese gran arco de tecnología, la tecnología alcanza su etapa final. En esa etapa final, las únicas personas que todavía creen que es tan sumamente grandioso, son los abuelos. En el gran arco de la tecnología, lo que comenzó como una obra maestra ahora solo es consumido por aquellos en las últimas etapas de sus vidas. Los primeros cheques fueron utilizados por la realeza para financiar grandes empresas como la East India Company, para poder abrir así los caminos hacia las especias y las rutas comerciales hacia el este. En aquellos días, solo los reyes usaban cheques. Hoy, podrías un día entrar en un supermercado y ver como una abuela frente a ti, en la línea de caja, abre su bolso y saca su talonario de cheques. 15 personas en dicha línea de caja comienzan a inquietarse audiblemente cuando descubren que va a dedicar 15 minutos en escribir su transacción de la compra en su preciado talonario de cheques. No queda nada de la grandiosidad de financiar la East India Company cuando compras alubias y tostadas con un talonario de cheques en un supermercado. Es la etapa final de dicha tecnología.

Los únicos que ven la *Fox News* son los abuelos, porque hoy todos vemos las noticias por Internet. Lo que en su día fue trivial, ahora es nuestra fuente de noticias e información autorizadas. Esto no se lo puedes explicar a la vieja guardia. Leemos nuestros libros electrónicamente. Hay quien dice: "Hay algo especial en el papel de los libros". Sí que lo hay. Se convierte en algo extremadamente pesado llevar 20 libros encima, y yo personalmente soy de los que leo unos 20 libros en cuatro o cinco semanas, así que necesito llevarlos encima. No hay nada de especial en el papel de los libros; es sólo aferrarse al pasado.

> *"A medida que nos adentramos en este mundo donde el dinero es un tipo de contenido, los guardianes de los antiguos sistemas de pago se aferran a la ilusión de que la banca tradicional representa la calidad. Que los protectores del antiguo sistema representan la calidad. Pero no es ahí donde está la calidad".*

A medida que nos adentramos en este mundo donde el dinero es un tipo de contenido, los guardianes de los antiguos sistemas de pago se aferran a la ilusión de que la banca tradicional representa la calidad. Que los protectores del antiguo sistema representan la calidad. Pero no es ahí donde está la calidad. Piensan que la calidad es inherente a la protección del control, de la censura y de las limitaciones.

Pero no es ahí donde se haya la calidad. Estamos avanzando y abriendo el rango de expresión posible con el dinero a niveles inimaginables, a cosas que nunca antes habían sucedido. Aún se aferran a sus ideas de grandiosidad: los grandes bancos antiguos con techos abovedados y bóvedas cromadas vacías, en las que puedes disfrutar de una visita guiada los domingos para ver cómo eran los bancos de entonces. Puedes visitar ciudades de todo el mundo y tomar un cocktail en las grandes cámaras acorazadas de sus grandes bancos antiguos que ahora son bares, porque los bancos ya ni siquiera pueden permitirse esos edificios. No sirven más que a la grandiosidad. Seguirán intentando persuadiros de que, a través de su control, os protegen del mal, de los terroristas, del lavado de dinero. En realidad lo único que hacen es proteger su propia posición ante cualquier posible competencia.

Ahora hemos separado el mensaje del medio. El dinero ahora es un tipo de contenido y nunca más retrocederemos al pasado.

Muchas gracias.

Nota de Andreas al lector: En esta charla, estúpidamente intenté hacer improvisaciones matemáticas en mi cabeza mientras daba la charla. No soy un genio en matemáticas. Resulta que soy aún peor en improvisación matemática. Ninguno de mis errores matemáticos improvisados cambió la línea de lo que estaba exponiendo, pero han sido corregidos en pro de la precisión del contenido y para proteger mi ego. ¡Ssssh! No le digas a nadie que la improvisación matemática no es mi fuerte.

Los Elementos de La Confianza: Liberando la Creatividad

Blockchain Meetup; Berlin, Alemania; Marzo de 2016

Enlace al Video: https://www.youtube.com/watch?v=uLpSM3HWU6U

Hoy voy a hablar sobre la química del dinero, específicamente la química de Bitcoin.

Este es uno de los aspectos de Bitcoin que lo hacen tan especialmente interesante. Es un aspecto que la mayoría de nosotros no reconocemos hasta que estudiamos Bitcoin durante al menos uno o dos años. Bitcoin es un poco como una cebolla. Necesitas pelarla. Y según lo haces, encuentras una capa más. Empecé hace cinco años. Hoy todavía sigo descubriendo nuevas capas en Bitcoin. Cada día encuentro más y más cosas que me sorprenden sobre Bitcoin.

La Ilusión de Emisor, Receptor y de Cuenta

Cuando descubrí Bitcoin, me sorprendió ver que se parecía a un sistema bancario relativamente familiar. Visité sitios de Bitcoin conocidos, como blockchain.info, y observé las transacciones. Hice clic en ellas y pude ver un emisor, un receptor y una cuenta. Pensé: *"Esto es bastante familiar. Es como la banca. ¡Genial!".* Luego, decidí adentrarme en el código fuente de Bitcoin y ver cómo funcionaba realmente.

Como científico en computación, pensé que leyendo el código fuente de Bitcoin entendería cómo logra poner en marcha ese tipo de cosas. Pero cuando busqué la parte del código fuente que se encargaba del emisor, del receptor o de las cuentas, no encontré absolutamente *nada.* No encontré nada porque ninguna de esas cosas existen realmente en Bitcoin. Me sorprendió enormemente, porque cuando analicé el código fuente, ninguna de esas cosas que esperaba encontrar realmente existía. Es de esperar que un sistema bancario, como aquello parecía ser, hubiera sido diseñado para hacer ciertas cosas de una determinada manera. Bitcoin no es así. No es así en absoluto.

"Cuando busqué la parte del código fuente que se encargaba del emisor, del receptor o de la cuenta, no encontré nada. Ninguna de esas cosas existen en Bitcoin".

¿Cuántos de vosotros habéis buceado en el código fuente de Bitcoin o habéis entendido profundamente los fundamentos técnicos? Pocos de los aquí presentes. Cuando te introduces en el código fuente de Bitcoin, te das cuenta de que no hay saldo, ni emisor, pero hay UTXOs o *salidas de transacciones No Utilizadas*, y también hay entradas. Pero esas entradas realmente no se corresponden con los emisores. Y una transacción tiene salidas, que en realidad no se corresponden con los receptores. De repente, descubres que lo que estás viendo es casi la naturaleza cuántica o atómica de Bitcoin.

La Estructura Atómica de Bitcoin

En química, tenemos elementos como el cobre, el hierro y el helio. La química te brinda esta enorme complejidad de elementos que puedes combinar para hacer cosas interesantes. Como personas. Tostadoras. Pero cuando profundizas en la química, te das cuenta de que el cobre no es simplemente un elemento. El cobre es un patrón de protones, neutrones y electrones. Un protón en particular es igual que cualquier otro protón; puede ser tan feliz formando parte del helio como del cobre, le es indiferente. No hay nada de ese protón que lo haga participar específicamente en la composición del cobre.

La química es una capa, pero debajo está la física atómica. Esa capa es súper-simple. Tiene un puñado de elementos. Ese puñado de solo unos pocos elementos conforma toda la química que conocemos, más de 100 elementos en la naturaleza que tienen propiedades únicas y que son completamente diferentes entre ellos. Algunos de ellos son líquidos, otros son metales, algunos de ellos son gases. Se comportan de manera diferente. Algunos son ácidos, otros no. Pero nada de eso tiene que ver con su composición. Son solo patrones.

Bitcoin cuenta también con esa estructura atómica fundamental, esa estructura elemental. Los elementos de Bitcoin son los componentes de las transacciones y los elementos de su lenguaje llamado Script. Esos elementos fundamentales no tienen nada que ver ni existen en la banca tradicional. No existen cuentas, ni saldos, ni emisores ni receptores. En su lugar, esos elementos fundamentales de Bitcoin albergan propiedades matemáticas y criptográficas básicas, como que un *Hash* coincida con otro hash, si una firma de *Curva Elíptica* coincide con otra firma también de curva elíptica, manipulación de números, etc. Lo que ves en la superficie, las transacciones, son sólo construcciones basadas en estas piezas fundamentales. Son únicamente una forma específica de amasar pequeños elementos para crear algo que recuerda a una operación bancaria. Esto está bien porque si eres nuevo en Bitcoin y alguien te dice: "Bueno, hay una cuenta, un emisor y un receptor", piensas, *"De acuerdo, eso lo entiendo"*.

> *"Lo que ves en la superficie, las transacciones, son sólo construcciones basadas en estas piezas fundamentales. Son únicamente una forma específica de amasar pequeños elementos para crear algo que recuerda una operación bancaria".*

Con el tiempo, te das cuenta de que lo que tienes es una billetera, que tu billetera no tiene monedas, tiene llaves y que esas claves pueden copiarse, y ahora estaréis pensando, *"Ese no ha sido mi caso. Eso no es exactamente lo que me ha pasado a mí"*. Las cosas se complican porque Bitcoin no es lo que crees que es. En realidad, es toda una plataforma. No es una red de pago. No es una moneda. No es un sistema bancario. Es una plataforma que garantiza ciertas funciones de confianza. Si tienes una plataforma que asegura ciertas funciones de confianza, una aplicación muy útil para ella es una moneda y una red de pago, pero se pueden construir muchas más cosas.

> *"Bitcoin no es lo que crees que es. En realidad es una plataforma. No es una red de pago. No es una moneda. No es un sistema bancario. Es una plataforma que garantiza ciertas funciones de confianza".*

Los Bloques de Construcción de Lego

Cuando era pequeño, mi juguete favorito era el Lego. La razón para ello no era por lo que venía en la caja. Porque la verdad nunca lo construí. Si la caja venía con un camión de bomberos rojo, yo construía algo como un dragón, o una mezcla de jirafa e hipopótamo, algo que no existía o alguna idea rara que se me ocurría. Eso es lo que me gustaba de Lego. Podía coger esos bloques de construcción básicos y podía construir lo que quisiera con ellos.

Desde una perspectiva abstracta, Lego es algo de naturaleza desordenada. Y lo que yo construía no se parecía a un camión de bomberos o a una nave espacial. Si alguien me hubiera regalado un camión de bomberos prefabricado en plástico, de bordes bien lisos y redondeados y bien acabado, hubiera sido el camión de bomberos perfecto. Pero no iría más allá de eso, un camión de bomberos. 20 minutos después de comenzar a jugar con él, me aburriría. Porque mi camión de bomberos de bordes bien redondeados y lisos, que sólo es un camión de bomberos, es un camión de bomberos perfecto, pero nunca podría ser una jirafa-hipopótamo o un tomate o una nave espacial. Lego me permitía mucho más.

Los Bloques de Construcción de La Cocina

A medida que me iba haciendo mayor, comencé a cocinar tomándolo como un pasatiempo. Lo que me encantó de la cocina es que es la combinación perfecta de arte y ciencia. Si comprendes fundamentalmente cómo funcionan los ingredientes, cómo se comportan y cómo cambia la química cuando se combinan o cuando agregas un catalizador como la sal o cuando aplicas calor, puedes crear. Puedes crear casi cualquier cosa. Mientras comprendas cómo funcionan los ingredientes, puedes elaborar y crear lo que quieras.

Los Bloques de Construcción de La Creatividad

Bitcoin abarca toda esa naturaleza elemental. No te da un resultado final. Te da un conjunto de ingredientes y una primera receta con la que comenzar. Te da un conjunto de bloques de Lego y una foto en la caja que parece un camión de bomberos rojo. Cuando presentamos eso al mundo, las compañías financieras lo miran y dicen: "Bueno, su camión de bomberos tiene bordes no redondeados y está hecho de pequeños bloques ridículos". En Bitcoin, tomamos los ingredientes, los amasamos y obtenemos un sistema de pago bancario. Los bancos lo miran y con gesto altivo dicen: "Sus hamburguesas no están mal, pero en McDonald's podemos hacerlas en 45 segundos y somos capaces de vender un billón de ellas. ¿Para qué necesitáis un chef, unos ingredientes, una receta, si ya se pueden producir un billón de ellas?". No han entendido nada.

"Bitcoin abarca toda esa naturaleza elemental. No te da un resultado final. Te da un conjunto de ingredientes y una primera receta con la que empezar".

El asunto no consiste tan sólo en crear un billón de copias de un mismo producto inferior. Lo interesante no es obtener el camión rojo de plástico moldeado por inyección del que, con total seguridad, me aburriré en 5 segundos. El objetivo debería ser liberar mi creatividad, ofreciéndome las herramientas y los elementos necesarios para construir algo único.

No construiré una hamburguesa ni tan rápido ni tan barata como McDonald's, y mi pequeño camión de bomberos rojo no tendrá bordes bien redondeados como la copia moldeada. Pero puedo hacer unas albóndigas con salsa de tomate. También puedo hacer un hipopótamo-jirafa. Eso no lo puedes hacer con un juguete prefabricado. No puedes hacer esas cosas en la cocina de un McDonald's. De ese modo mi creatividad se ve liberada.

Los Bloques de Construcción de Bitcoin

Estamos empezando a ver a la gente darse cuenta de que Bitcoin es un conjunto de ingredientes y que apenas ofrece una sola receta, pero que se pueden crear muchas recetas diferentes. La gente hoy está aprendiendo a recombinar estos interesantes ingredientes.

Se están creando proyectos de crowdfunding o micro-mecenazgo, combinando transacciones atómicas con sumas de entradas-contra-salidas y firmas digitales. Al combinar estos ingredientes, podemos crear una única transacción que pueda ser financiada por varias personas y que solo sea válida si se cumple con el umbral de financiación. Son los mismos ingredientes que utilizo para hacer un pago por valor de un dólar sobre la misma red de pagos de Bitcoin, pero puedes recombinarlos de manera diferente creando así una nueva plataforma de crowdfunding.

Estamos creando canales de pago combinando transacciones multifirma de 2 firmas de un total de 2 posibles firmantes, con bloqueo de transacción en el tiempo. Esto permite cobrar por segundos de transmisión de video. Se trata de una receta completamente nueva.

Estos nuevos canales de pago, representan los cimientos para otras nuevas recetas súper-interesantes. Al utilizarlos en combinación con un nuevo ingrediente, los

Hash Time Locked Contracts, podemos conectar varios canales de pago. Con esta nueva recombinación somos capaces de crear las llamadas Lightning Networks, una nueva receta que nadie antes había sido capaz ni de imaginar.

> *"Intentamos dar rienda suelta a la creatividad de toda una generación. Estamos construyendo un sistema sobre el que se pueden construir miles de aplicaciones que se basan en la confianza".*

Los bancos dicen: "Vuestro camión de bomberos tiene curvas que no están bien redondeadas, vuestra hamburguesa es muy cara y habéis tardado en elaborarla más de 45 segundos". Lo que realmente están queriendo decir con esto es: "Vuestras comisiones por transacción son demasiado altas, sois demasiado lentos y no podéis crecer". *Se equivocan.* No estamos tratando de vender un billón de hamburguesas con tiempos de elaboración inferiores a 45 segundos; lo que intentamos es dar rienda suelta a la creatividad de toda una generación. Estamos construyendo un sistema sobre el que se puedan desarrollar miles de aplicaciones que necesiten basarse en la confianza.

Economías de Grupo de Enfoque

Cuando tienes los ingredientes, cuando tienes estos elementos básicos, la receta que creas depende completamente de ti. Porque para que ellos lleguen a construir ese pequeño camión de bomberos rojo, crean toda una fábrica con la que solo pueden construir pequeños camiones de bomberos rojos. Estoy seguro de que te dirán: "Escucha, nuestras estadísticas dicen que el 95% de los niños quieren un pequeño camión de bomberos rojo. Hemos probado esto con los *grupos de enfoque* y los equipos de marketing. Podemos producir millones de ellos. Solo cuestan 3 centavos. Tienen una pequeña cantidad de pintura de plomo e hidrocarburos venenosos, tóxicos y carcinógenos, pero eso no supone un verdadero problema. Podemos hacerlo de manera muy económica y muy rentable". Solo pueden construir camiones de bomberos.

Cuando construyes una cocina como la de un McDonald's, con ella puedes producir hamburguesas cada 45 segundos, pero en ella no puedes hacer albóndigas. No puedes hacer otra cosa. Está diseñada para hacer una cosa y solo una cosa, y siempre y cuando sirva a su línea de beneficios, estará bien. Estoy seguro de que su *grupo de enfoque* lo probó para asegurarse de que eso es lo que todos querían.

Esa es una forma espantosa de construir una economía. Esa es una forma horrible de construir un sistema financiero. Esa es una forma horrenda de construir una red de pago.

Privilegio Bancario y Vigilancia

Efectivamente, lo que los bancos nos dicen es: "Nos centramos en esto. Lo que la gente quiere es capacidad, en lugar de poder pasar su tarjeta Visa por encima del datáfono, ahorrando casi dos segundos y reduciendo su esfuerzo en al menos cuatro calorías. Podríamos tratar de atender a los 4 billones de personas que no tienen acceso a la banca o al agua potable. Podríamos afrontar el hecho de que nuestro mundo es un caos fragmentado, donde la gran mayoría de la humanidad no tiene acceso a servicios financieros. O bien, podríamos reducir el esfuerzo del comprador y hacer una tarjeta de fácil lectura".

Podríamos enfrentarnos al hecho, de que la verdadera razón por la que más de 4 billones de personas no tienen acceso a la banca, es porque requerimos identificación a todo el mundo en los dos extremos de cada transacción que realizamos, construyendo de ese modo un sistema de vigilancia totalitario, que sería la envidia del mismísimo *Stasi*. Un sistema con el que es posible monitorizar todas y cada una de las transacciones financieras en todos los rincones del planeta. Porque nos hemos autoconvencido de que nuestra seguridad, entendida en su sentido más burgués, se ve protegida, no mediante la erradicación de la pobreza, ni reduciendo, tal vez, el bombardeo de otros países, sino mediante la auto-vigilancia constante de todos nuestros movimientos financieros, para saber cuando compramos, por ejemplo, una humilde hamburguesa.

Nos sometemos a este mecanismo de vigilancia que ahora se ha visto incluso optimizado, y al igual que la fábrica que solo puede producir pequeños camiones de bomberos rojos, este es un sistema que solo puede brindar servicios financieros a privilegiados de una pequeña élite de la población mundial, con vigilancia totalitaria sujeta a regulaciones propias de cada país, con barreras en sus fronteras que impiden, por ejemplo, el comercio internacional. Un sistema financiero con el que el gobierno puede presionar para que se deje de apoyar a WikiLeaks porque no les es de su agrado, pero que paradójicamente sí permite enviar donaciones al Ku Klux Klan, lo cual no es ninguna broma. Es algo que en realidad ha sucedido.

Han construido un sistema que solo puede hacer una cosa: esclavizarnos. Solo puede empobrecernos. Un sistema que acaba con nuestra libertad de la manera más eficiente posible generando con ello beneficios. Ese sistema nació roto y su crecimiento es imposible. Pero si ese es el uso que pretenden dar al sistema financiero, entonces, para esa finalidad, si que es el más eficiente que jamás haya existido.

En comparación, el pequeño y loco sistema que hemos construido con Bitcoin, no es tan bueno, ni tan rápido y le cuesta escalar o crecer. No es tan eficiente y no es tan serio ni tan sofisticado como el sistema bancario internacional. Pero ofrece libertad y nos permite liberar nuestra creatividad.

Gracias.

Crecimiento de Bitcoin

Bitcoin Meetup en Paralelni Polis; Praga, Chequia; Marzo del 2016

Enlace al Video: https://www.youtube.com/watch?v=bFOFqNKKns0

Historias sobre Crecimiento

Hoy voy a hablar sobre crecimiento. Muchos de vosotros probablemente estéis al corriente del debate tan interesante que existe entorno a Bitcoin sobre cómo escalar o conseguir que crezca y atienda a más usuarios y sea más rápido. Ese es el tema que quiero hoy abordar, pero no desde una perspectiva técnica, sino desde una perspectiva más amplia, para tratar de que entendamos lo que realmente significa escalar.

Usenet destruirá Internet

Hablemos de algo que sucedió hace mucho tiempo. En sus orígenes, allá por 1989, Internet se basaba en *conexiones de líneas conmutadas*, es decir, utilizaba líneas telefónicas analógicas antiguas. No tan sólo para la conexión de usuarios a Internet; en la mayoría de los casos, las *backbones*, la líneas troncales o principales de Internet, eran conexiones de líneas conmutadas, es decir, de marcación o también llamadas dial-up. Excepcionalmente, entre las universidades, entre sus centros de investigación, existían algunas conexiones permanentes de alta velocidad: 256 kilobits, 512 kilobits. Pero Internet usaba principalmente lineas conmutadas al igual que el resto de los usuarios. El correo electrónico todavía no había comenzado ni a afianzarse, pero existía un lugar especial en Internet llamado Usenet. Usenet era un sistema de grupos de discusión en el que se podía publicar un mensaje de texto y otras personas podían verlo y responder.

No se parecía nada a la actual mensajería instantánea. Se trataba de una mensajería extremadamente lenta porque, para que Usenet funcionara, los mensajes tenían que transmitirse a través de sistemas de acceso telefónico y propagarse de un nodo a otro en un sistema llamado *almacenamiento y reenvío*. Desde que publicabas un mensaje hasta que alcanzaba al resto del mundo, pasaban entre 24 y 48 horas. Después, podían responder, y su respuesta podía tardar entre otras 24 y 48 horas en ser recibidas. Hoy, lo compararíamos a tratar de comunicarse con Matt Damon en Marte, como en la película *Marte (The Martian)*.

En aquel momento, hubo un gran debate entre los ingenieros de Internet porque Usenet se hacía cada vez más popular y comenzaba a hacerse muy grande. Para trasmitir sus mensajes de *texto*, primero eran necesarios Kilobytes de información y después megabytes. Al principio, te llevaba unos 30 minutos de conexión de acceso telefónico obtener todos los mensajes de Usenet generados en un día. Luego, a medida que el sistema se hacía más popular, más mensajes significaron más volumen de datos y por lo tanto mayores tiempos de conexión. En poco tiempo, la misma operación suponía hasta una hora, dos horas e incluso tres. Los expertos entonces predijeron su final. Dijeron que si te fijas dónde estamos ahora y donde estábamos hace seis meses, se ve claramente que pronto se necesitarán 26 horas para transmitir los mensajes de un solo día y ahí sí que surge un verdadero problema porque el día solo tiene 24 horas.

Pero entonces, ¿qué pasaría? ¡Internet colapsaría! A todas luces no podía escalar, no podía crecer. Lo más probable es que nunca lo consiguiera.

Los Grupos de Noticias Alternativos destruirán Internet

En aquel momento Usenet estaba dividido en dos partes. Una era la parte regular o normal de Usenet, la que contenía grupos muy cuidadosamente estructurados para discusiones académicas. Y luego había otra pequeña parte de Usenet llamada *alt*, los llamados grupos alternativos. Los grupos Alt eran una opción para los usuarios de Usenet. Si eras proveedor del servicio Usenet, podías transportar los grupos alt a tu voluntad, pero sin obligación alguna. Lo que en realidad ocurrió es que los proveedores realmente interesantes ofrecían los grupos alternativos. Evidentemente, las cosas más interesantes al final estaban en esos grupos alt. Algunos de los primeros grupos alt más interesantes fueron alt.folklore.computers, alt.security, y por supuesto, como aquello que siempre ha potenciado el crecimiento de Internet, alt.sex.

Estos grupos alternativos, siendo opcionales, fueron el foco de este gran debate. ¿Se deberían ofrecer? Porque en aquellas circunstancias conocimos el primer caso en la historia de spam en el mundo. Recuerdo haber vivido el primer caso de spam. Fue un mensaje de un par de abogados que se envió a todos los grupos de Usenet. Espero que no fuerais ninguno de vosotros. Fue bastante molesto la verdad. Mil personas les contestaron al unísono diciéndoles que aquello no tenía ninguna gracia. Aquella fue la primera reacción en masa conocida en Internet.

La discusión fue, ¿ofrecemos grupos alt? Porque si los ofrecemos, seguramente derretiremos Internet y no existe manera de hacerlo escalar o crecer. Si esto llegara a hacerse popular, las personas discutirán más y más, y si discuten más, no tendremos suficiente capacidad para tratar con tantos datos. Esa conversación duró más de dos años. Había algunos proveedores de servicios muy valientes que ofrecían los grupos alt, y usaban discos duros masivos, discos duros entonces enormes de 5MB. Una vez más, la idea principal era: si observas donde estamos ahora y hacia donde nos dirigimos, se ve claramente que terminaremos encontrándonos con un muro.

"Si ofrecemos los grupos alternativos, seguramente derretiremos Internet y no hay manera de hacerlo escalar o crecer".

Entonces, Internet no fue capaz de escalar. Ese fue el comienzo del problema de escalabilidad de Internet. No podía escalar, no escalaría, estaba claro. Mucha gente escribió su tesis doctoral sobre el problema de escalabilidad de Internet.

Pero, por supuesto, el problema es que las redes no escalan. Al menos no con facilidad. Algunas redes no lo consiguen durante décadas, y esas, son las que al final suelen tener más éxito.

"Algunas redes no lo consiguen durante décadas, y esas, son las que al final suelen tener más éxito".

Eventualmente, resolvimos el problema de Usenet. Las conexiones digitales fueron progresivamente actualizadas. Cada vez más sistemas utilizaban líneas alquiladas y conexiones directas. El acceso telefónico se fue reemplazando gradualmente por estas líneas alquiladas. La gente comenzó a invertir en infraestructuras y pudimos transportar cómodamente los grupos *alt* de Usenet. Entonces, la gente comenzó a usar el correo electrónico. Y de ese modo el problema de escalabilidad surgió de nuevo.

El Correo Electrónico y sus Archivos Adjuntos destruirán Internet

A medida que el correo electrónico se hizo popular, comenzó a reemplazar y a eclipsar en tamaño a Usenet. Ahora, teníamos un problema aún mayor, porque la gente quería comunicarse directamente entre ellos. Ahora, un mensaje no tardaba 24 horas, sino sólo dos en cruzar Internet, lo que significaba que la gente empezaba a tener conversaciones en tiempo real, bueno, casi en tiempo real. El uso del correo electrónico se disparó. Y una vez más, Internet no fue capaz de escalar, porque si observábamos dónde estaba el correo electrónico en un momento determinado, y dónde se encontraba seis meses atrás, y trazábamos una línea entre ambos instantes en el tiempo, se concluía claramente que no era posible escalar. Internet se colapsaría. La gente escribió de nuevo tesis doctorales sobre cómo Internet sucumbiría ante la carga del correo electrónico y sobre como nunca lograría escalar.

Poco a poco, fuimos introduciendo optimizaciones, mejoras. Fuimos solucionando el problema del correo electrónico, y digo "nosotros", aunque yo personalmente me encontraba tan sólo en una situación de observador, puesto que tenía 16 años y no sabía qué demonios estaba pasando. Pero nosotros, como personas, como humanidad, superamos el problema. Lo escalamos. Internet, al principio no podía escalar para ofrecer los servicios de Usenet, y al final lo logró, por lo que posteriormente tuvo que enfrentarse al reto de escalar para solventar los problemas derivados del uso del correo electrónico. Después, logró escalar resolviendo estas nuevas dificultades, a partir de lo cual, algunos cerebritos, inventaron MIME, Extensiones Multipropósito de correo de Internet, lo que significaba que podías adjuntar cosas al correo electrónico. Estos archivos adjuntos eran 10 veces el tamaño del propio texto del mensaje, porque la gente comenzó a enviar cosas más grandes, como dibujos e imágenes y, por supuesto, una vez más, sexo.

Por lo tanto, podríamos escalar para ofrecer el correo electrónico, pero no para sus archivos adjuntos. Todo el mundo decía: "Jamás podremos escalar suficientemente para enviar archivos adjuntos de correo electrónico. ¡Internet seguramente colapsará!" Entonces, de nuevo, lo resolvimos. Todo fue bien, hasta que un tipo británico, Sir Tim Berners Lee (al que entonces todo el mundo llamaba Tim), inventó la Web. Con ella podías añadir imágenes a las páginas web.

La Web destruirá Internet

Fue alrededor de 1992 cuando descargué y ejecuté el primer navegador web, el NCSA Mosaic. Fue en el laboratorio de mi universidad. Nos reunimos tres o cuatro amigos. Trabajamos durante horas para descargar, compilar e instalar el NCSA Mosaic. Luego, lo arrancamos y con él, visitamos la Web. Visitamos toda la Web existente entonces. Puedo decir algo que pocos pueden decir: en 1992, visité toda la web en una tarde. Los dos únicos sitios web entonces existentes. Porque había sólo dos. Los visité y pensé: *¡Dios mío! ¡Esto va a ser enorme! ¡Ante algo así, Internet nunca logrará escalar lo suficiente! ¡Sólo imagina lo que podría ocurrir publicando sexo en la web!* Por supuesto, como todos sabemos, este último caso se convertiría, por mucho tiempo, en *la aplicación que abanderaría la escalabilidad de Internet*. El contenido sobre sexo en la Web, ha estado impulsando el desarrollo de Internet desde siempre, pero de eso no solemos hablar en círculos educados.

"Puedo decir algo que pocos pueden decir: en 1992, visité toda la web en una tarde. Los dos únicos sitios web entonces existentes. Porque había sólo dos. Los visité y pensé: ¡Dios mío! ¡Esto va a ser enorme! ¡Ante algo así, Internet nunca logrará escalar lo suficiente!".

Internet no escalaba ante los retos de la nueva web. La gente dijo: "Nunca podremos utilizar todas estas imágenes y documentos de hipertexto. Será completamente imposible escalar". Y una vez más se escribieron tesis doctorales y tuvieron lugar nuevas discusiones. Internet aún no lograba escalar. Pero a estas alturas, ya llevaba más de una década afrontando problemas de escalabilidad, afrontándolos de manera elegante, y obteniendo siempre un resultado satisfactorio.

VOIP destruirá Internet

Entonces, alguien inventó el protocolo de Voz sobre IP. Algunos pensaron, "¿Por qué no simplemente reemplazamos el sistema telefónico tradicional por su versión Internet?" Aquello fue una locura. Las compañías telefónicas comenzaron a hacer campañas masivas para informarnos de por qué las redes basadas en *conmutación de paquetes* nunca podrían transmitir voz. Dijeron que, el verdadero enfoque de calidad para la trasmisión de voz siempre sería sobre redes de conmutación jerárquica, propiedad de los monopolios de telecomunicaciones nacionales, porque Internet jamás podría escalar lo suficiente como para trasmitir las llamadas telefónicas de todo mundo.

Esas mismas compañías telefónicas (las que aún lideran el sector), hoy enrutan todas sus llamadas telefónicas a través de Internet. Al principio se negaban a que sus redes telefónicas se utilizaran para acceder a Internet. Después lo permitieron. Y al final terminaron por construir sus redes telefónicas sobre la propia infraestructura de Internet.

"Al principio se negaban a que sus redes telefónicas se utilizaran para acceder a Internet. Después lo permitieron. Al final terminaron por construir sus redes telefónicas sobre la propia infraestructura de Internet".

Los Videos de Gatos destruirán Internet

Entonces, comenzamos a enviar videos. E Internet no pudo escalar de nuevo, porque ahora sería YouTube quien se encargaría de colapsar y derretir Internet. Estaba claro que íbamos a necesitar algún mecanismo de filtrado de calidad de contenido, porque no se podía permitir que todos los idiotas se dedicaran a publicar videos de su gato. Dijeron: "Ya hay mil videos de gatos. Si comparas la cantidad de videos de gatos que hubo ayer y los que ha habido hoy, y si extrapolas, se podrá estimar que para el final de esta década ¡habrá mil millones de videos de gatos en Internet!". Que es exactamente lo que sucedió.

Pero logramos escalar de nuevo. Y ahora, utilizamos incluso videos 3D y videos 4K.

Netflix destruirá Internet

Cuando apareció Netflix, asistimos al mismo error. En 1992, cuando visité el primer sitio web, pensé: *"¡Dios santo! La televisión tiene sus días contados. Algún día podremos transmitir películas instantáneamente".* Si le dices esto a un respetable investigador de redes en 1992, te tomaría por idiota. Porque, está claro que si hubiera existido Netflix en 1992, una única transmisión de video para un sólo usuario, hubiera colapsado todo Internet. Por cierto, Internet hoy presenta problemas de escalabilidad para Netflix y otras compañías de transmisión de video en vivo. Sin embargo, Internet seguirá afrontando incrementalmente futuros problemas de escalabilidad con suma elegancia. Pronto empezaremos a utilizar Oculus Rift 3D holográfico, calidad de vídeo en 4K de forma habitual y realidad virtual. Entonces, como siempre, Internet tendrá que afrontar nuevos retos de escalabilidad. La gente, todavía a estas alturas, seguirá escribiendo tesis doctorales sobre por qué Internet está a punto de colapsar.

El Aumento de Capacidad es simplemente un Objetivo en Movimiento constante

El *aumento de capacidad* es simplemente un objetivo en constante movimiento. El grado de crecimiento de un sistema, su nivel de escalado, define el límite de sus capacidades actuales. A medida que avanza, sus necesidades aumentan. La razón de esto es sencilla, porque el crecimiento no es un objetivo a alcanzar en sí mismo, sino que viene determinado por lo que puedes hacer hoy. En el momento en que aumenta la capacidad, la definición misma de lo que se puede hacer con una red hoy, cambia porque alguien dice: "Espera un segundo. ¿Quieres decir que ahora podría hacer x, que exige 10 veces más recursos de lo que se podía hacer ayer? Hagámoslo entonces". Y otra vez, Internet tendrá que enfrentarse a nuevos retos de escalabilidad. Escalar, aumentar la capacidad, es un objetivo en movimiento. El grado de crecimiento, el nivel de escalado, define el límite de sus capacidades actuales. A medida que avanza, su capacidad aumenta.

> *"El aumento de capacidad es un objetivo en movimiento. El grado de crecimiento de un sistema, su nivel de escalado, define el límite de sus capacidades actuales".*

A Bitcoin, como red, también le cuesta escalar o crecer. Es de esperar, que al igual que Internet, Bitcoin siga afrontando sus retos de escalabilidad de manera elegante durante 25 años. Las mismas empresas que decían que Internet nunca llegaría a gestionar todo el correo electrónico, ni permitiría hacer llamadas de voz de calidad, y que nunca funcionaría para videos de calidad, ahora emplean el mismo tipo de argumentos corporativos, como, qué Bitcoin nunca permitirá realizar pagos minoristas, ni podrá competir con la capacidad transaccional de Visa, y que no será capaz de operar a escala global, o que si realmente se llegara a adoptar mundialmente, terminaría colapsando. En este momento, hay una docena de personas escribiendo su tesis doctoral sobre, cómo fallará Bitcoin, sobre como ha fallado ya, sobre como está muriendo en este momento, sobre como ha muerto ya, y sobre como ha vuelto a morir una vez más.

"A Bitcoin, como red, también le cuesta escalar o crecer. Es de esperar, que al igual que Internet, Bitcoin siga afrontando sus retos de escalabilidad de manera elegante durante 25 años".

Hay una web muy simpática llamada bitcoinobituaries.com, donde se pueden leer los pronunciamientos sobre las múltiples muertes de Bitcoin desde 2009. Regularmente, como un reloj, cada tres o seis meses, aparecen periódicos importantes, científicos, etc., diciendo: "Esto ha sido todo. Bitcoin finalmente ha muerto". De hecho, esto se ha convertido en una auténtica campaña de marketing positivo involuntario para Bitcoin, porque todo lo que hay que hacer es, dejar que la gente escuche que Bitcoin murió, que el CEO de Bitcoin fue arrestado o que Putin mandó cerrar Bitcoin, y cuatro meses después, alguien aparece diciendo: "¿Sabes que han aparecido unas aplicaciones chulísimas en Bitcoin?" A lo que responden: "¿Bitcoin? ¿Pero todavía sigue por ahí? ¿Pero no había muerto?"

"Bitcoin aún sigue ahí", es el lema de marketing de esta comunidad. Si seguimos escuchando "Bitcoin sigue ahí", la gente se sorprende, se siente confundida. No coincide con lo que esperaba. Para ellos, no es posible que Bitcoin todavía siga ahí. Personas muy respetables y serias, con títulos muy importantes, que trabajan para grandes compañías, les dijeron que Bitcoin no sobreviviría por mucho tiempo. Pero *"Bitcoin sigue ahí"*. Y sigue ahí porque seguimos afrontando sus problemas de escalabilidad elegantemente.

Optimización de Comisiones y Capacidad

Cuando no conseguimos escalar ante una ausencia de capacidad, cuando la red se inunda de transacciones, ¿qué sucede? Algunos usuarios experimentan una situación terrible. Hacen una transacción, aportando una comisión de 0.1 milibit, como siempre la han hecho, y son necesarios hasta tres días para confirmar la transacción. Durante ese tiempo, lógicamente los usuarios se angustian, se inquietan y pueden llegar a ponerse muy muy nerviosos, especialmente si son nuevos con Bitcoin. Debido a que los nuevos usuarios asumen que el dinero ha salido de su cuenta (recordad que no hay cuentas en Bitcoin) y que está en camino hacia la cuenta destino (nuevamente, no hay cuentas en Bitcoin), y que por lo tanto el dinero está en algún lugar en el limbo. Realmente, el dinero sigue todavía en su "cuenta", y lo que sucede es que, en su wallet o cartera, aparece como pendiente de ser confirmada. Los fondos, estarán siempre, o bien en la fuente de los mismos, o en el destino, de manera atómica, con una única transacción. No existe ningún estado intermedio. No puede estar en ningún tipo de limbo, porque los bitcoins no se transmiten, simplemente se anotan en la contabilidad descentralizada o Blockchain.

Experimentamos estos problemas repentinos, y ante ellos, algunas billeteras se comportan de manera inteligente aumentando las comisiones de las transacciones, a veces hasta en un 100%. Lo que esto significa es que, para enviar una transacción global en segundos, a cualquier parte del mundo, con resistencia total a censura, innovación abierta, y acceso abierto a todos, ya no es suficiente con sólo 4 centavos, ¡en esas condiciones se necesitan 8 centavos! Esto podría suponer una clara indicación para las personas que tuvieron que esperar hasta tres días para ver confirmada su transacción, de que Bitcoin seguramente estuviera ya del todo muerto. Y algunos desarrolladores dirían: "Bah, me rindo. Bitcoin claramente ha muerto". Los periódicos escribirían: "Bitcoin está muerto. Las transacciones han dejado de procesarse".

En realidad las transacciones se siguieron procesando con normalidad. Las mías, en circunstancias como esas, así lo hicieron. En mi caso, utilizaba un wallet o cartera avanzada, la cual calcula las comisiones de las transacciones de manera inteligente. ¿Qué provoca realmente este tipo de crisis de capacidad en Bitcoin? Potencian el desarrollo de wallets mejoradas.

Esa es en realidad la esencia de un sistema dinámico que responde a la presión porque, a medida que desarrollamos mejores wallets, estos wallets mejorados calculan las comisiones de manera más precisa. Y es mucho más fácil saturar la red Bitcoin si hay muchas billeteras tontas que proponen comisiones de 0.1 milibit, cuando simplemente con haber aumentado la comisión a 0,11 milibit, hubieras disfrutado de una agradable experiencia de usuario. Sin embargo, los usuarios mal informados que no actualizaron sus wallets, terminaron saturando la red con sus transacciones. Pero si la red admite transacciones con comisiones de 0.12 milibits, probablemente en la siguiente transacción tengas que aumentarla a 0.13. De ese modo, entramos en un aumento progresivo de las comisiones por transacción y, antes de que te des cuenta, estarás empleando 0,5 milibits de comisión por transacción que, por supuesto, si eres un usuario honesto, esto no debería significar tanto. Pero si por el contrario, lo que intentas es saturar la red, tu esfuerzo económico para hacerlo se verá incrementado cada vez que lo intentes con más rapidez.

Transacciones Spam, Transacciones Legítimas, Transacciones Ilegítimas

Lo que plantea una pregunta interesante: ¿Cómo sería una transacción spam en Bitcoin? ¿Qué sería una transacción legítima? ¿Y qué sería una transacción ilegítima? Hay dos formas de responder a esto. Una, a través de un enfoque paternalista, en un sentido basado en la autoridad que dice, "esto es lo que está permitido, esto es lo que no está permitido", y haciendo una lista de todos los casos, evitaremos que la red se sature. Pero eso va totalmente en contra de la propia naturaleza de Bitcoin, que persigue siempre la neutralidad de la red. A Bitcoin no le importa quién es el emisor ni el receptor, cuál es la aplicación utilizada, cuál es el valor de la transacción. Lo único que le importa es, ¿la transacción contiene una comisión de interés?

Si pagaste la correspondiente comisión, tu transacción será legítima por definición, porque pensaste que era lo suficientemente legítima como para adjuntar esa comisión. El simple acto de pagar una comisión, legitima la transacción. Si empezamos a tomar decisiones sobre qué es spam y qué no lo es, decidiríamos el futuro de Bitcoin, limitándolo únicamente al conjunto de aplicaciones que podamos imaginar. Las futuras y más brillantes aplicaciones que hoy *no podemos* imaginar, nos podrían parecer spam, impidiendo su transmisión, dado que habríamos tomado una decisión que consideraría dicha transacción como ilegítima.

> *"El simple acto de pagar una comisión, legitima la transacción. Si empezamos a tomar decisiones sobre qué es spam y qué no lo es, decidiríamos el futuro de Bitcoin, limitándolo únicamente al conjunto de aplicaciones que podamos imaginar".*

Otra forma de solucionar esto es decir, ¿qué tal si proponemos un mercado para resolver este problema? Imaginemos que tenemos un mercado. Imaginemos que tenemos una moneda. Utilicemos ese mercado para resolver este problema. Permitamos que el mercado marque la tarifa mínima que permite cubrir los recursos necesarios de los mineros con los que poder validar transacciones, propagar bloques rápidamente y atender la demanda de las aplicaciones que les interesen a los usuarios. Si pagas la correspondiente comisión, tu transacción es legítima. No hay transacciones spam en Bitcoin. No existen transacciones ilegítimas. Solo hay transacciones que fueron confirmadas y transacciones que no tuvieron suficiente comisión para serlo.

Décadas afrontando dificultades de Escalabilidad

Así es como irá creciendo Bitcoin. Esto no se va a resolver hoy; asistiremos a la discusión sobre los problemas de escalabilidad de Bitcoin todos los años, durante décadas. Cada año, nos encontraremos con nuevos retos de escalabilidad para hacer frente a la siguiente generación de aplicaciones sobre Bitcoin, y superaremos los retos planteados para las anteriores. Tan pronto como lo consigamos, la gente inventará nuevas aplicaciones y nos encontraremos de nuevo afrontando nuevos retos de escalabilidad.

> *"Cada año, nos encontraremos con nuevos retos de escalabilidad para hacer frente a la siguiente generación de aplicaciones sobre Bitcoin, y superaremos los retos planteados para las anteriores".*

Internet: ha venido afrontando los retos de escalabilidad durante 25 años de manera elegante. Bitcoin: sigamos afrontando los retos de escalabilidad de manera elegante y Bitcoin seguirá vivo.

Gracias.

Un mensaje de Andreas

Solicitud de revisiones

Gracias de nuevo por leer este libro. Espero que hayas disfrutado leyéndolo tanto como yo disfruté al crearlo. Si te gustó este libro, dedica un minuto para visitar la página del libro en https://www.amazon.com/Internet-Money-Andreas-M-Antonopoulos/dp/1537000454 [Amazon] o donde lo hayas comprado y deja tu comentario. Esto ayudará a que el libro obtenga una mayor visibilidad en los rankings de búsqueda y llegue a más personas que estén tratando de aprender sobre Bitcoin. Tus comentarios sinceros también me serán de ayuda para conseguir que el próximo libro sea aún mejor.

Gracias

Quiero aprovechar esta oportunidad para agradecer formalmente a la comunidad por apoyar mi trabajo. Muchos de vosotros compartís este trabajo con amigos, familiares y colegas; asistís a eventos en persona, a veces recorriendo largas distancias; y aquellos que pueden incluso apoyarme en la plataforma Patreon. **Sin vosotros no podría hacer este importante trabajo, el trabajo que amo, y estoy eternamente agradecido.**

Gracias.

¿Quieres Más?

Regístrate en la lista de correo de Internet del Dinero

Si disfrutaste de este libro y deseas recibir información sobre el próximo libro de la serie, inscribirte en los sorteos de copias gratuitas de los libros de la serie y mantenerte al día de las traducciones y otras noticias interesantes, regístrate en la lista de correo de Internet del Dinero.

No venderemos ni compartiremos la lista con nadie y solo la usaremos ocasionalmente para enviar información relevante sobre los libros de esta serie o para compartir noticias de nuevas traducciones al español de la obra de Andreas M. Antonopoulos.

Para registrarte, utiliza el siguiente URL:

https://theinternetofmoney.info/internet-del-dinero-v1p

O este más corto:

http://bit.ly/2BbhJfM

Volumen Dos en formatos Impreso, Ebook y AudioLibro

Este libro es el primero de una serie llamada *Internet del Dinero*. Si disfrutaste de este libro, seguramente disfrutarás también del Volumen Dos, que está disponible en los formatos impreso, ebook y audiolibro en EEUU, El Reino Unido, Europa, Australia y en otras partes del mundo.

El Volumen Dos contiene una sección de "Preguntas frecuentes" y algunas de las charlas más populares de Andreas, entre ellas:

Introducción a Bitcoin

> Conferencia IPP en la Singularity University; Silicon Valley, California; Septiembre de 2016;

Blockchain vs Porquería

> Blockchain Africa Conference en el Focus Rooms; Johannesburgo, Sudáfrica; Marzo de 2017;

Noticias Falsas, Dinero Falso

> Silicon Valley Bitcoin Meetup en el Plug & Play Tech Center; Sunnyvale, California; Abril de 2017;

Inmutabilidad y Prueba de Trabajo, El Monumento Digital a Escala Planetaria

> Silicon Valley Bitcoin Meetup; Sunnyvale, California; Septiembre de 2016

Guerra de divisas

> Coinscrum Minicon en el Imperial College; Londres, Inglaterra; Diciembre de 2016;

Bubble Boy y Las Ratas de Alcantarilla

> DevCore Workshop en la Draper University; San Mateo, California; Octubre de 2015;

¿Qué es el Streaming Money?

> Bitcoin Wednesday Meetup en el Eye Film Museum; Amsterdam, Holanda; Octubre de 2016;

La Ciencia de los cohetes y la Killer App Ethereum's

Cape Town Ethereum meetup en la Deloitte Greenhouse; Cape Town, South Africa; Marzo de 2017;

Mantenerse al día con Andreas

Obtén más información sobre Andreas, incluso cuando esté planeando visitar tu ciudad, en su sitio web https://www.antonopoulos.com.

También puedes seguirlo en Twitter https://www.twitter.com/aantonop o suscribirte a su canal de youtube en https://www.youtube.com/aantonop.

Y, por supuesto, Andreas no podría hacer este trabajo sin el apoyo financiero de la comunidad a través de Patreon. Obtén más información sobre su trabajo y obtén acceso anticipado a videos y otro contenido exclusivo al convertirte en un mecenas en https://www.patreon.com/aantonop.

Apéndice A. Enlaces de video

Cada uno de los capítulos incluidos en este libro, se derivan de charlas de Andreas M. Antonopoulos en conferencias y reuniones en todo el mundo. La mayoría de las charlas se ofrecieron a audiencias de tipo general, aunque algunas se entregaron a audiencias limitadas (como estudiantes), para un propósito particular.

Andreas es conocido por interactuar con el público durante sus presentaciones, gran parte de la interacción con la audiencia se ha eliminado del texto. Le recomendamos que vea el contenido original, aunque solo sea para hacerse una idea de lo que es asistir a uno de estos eventos. Todos los videos y muchos más están disponibles en el canal de youtube de Andreas: aantonop. https://www.youtube.com/user/aantonop.

A continuación encontrará una lista de las conversaciones que hemos incluido en este texto, junto con ubicaciones, fechas y enlaces al contenido original.

¿Qué es Bitcoin?

> Disrupción, Arranque, Crecimiento; Atenas, Grecia; Noviembre 2013; https://www.youtube.com/watch?v=LA9A1RyXv9s

Dinero de Igual a Igual

> Conferencia Reinventemos el Dinero - Erasmus University; Rotterdam, Países Bajos; Septiembre 2015 https://www.youtube.com/watch?v=n-EpKQ6xIJs

Privacidad, Identidad, Vigilancia y Dinero

> Barcelona Bitcoin Meetup en el FabLab; Barcelona, España; Marzo 2016; https://www.youtube.com/watch?v=Vcvl5piGlYg

Innovadores, Disruptores, Inadaptados, y Bitcoin

> Maker Faire; Henry Ford Museum, Detroit Michigan; Julio de 2014; https://www.youtube.com/watch?v=LeclUjKm408

Redes Tontas, Innovación y el Festival de los Bienes Comunes

> O'Reilly Radar Summit; San Francisco, California; Enero 2015; https://www.youtube.com/watch?v=x8FCRZ0BUCw

Inversión de Infraestructura

Zurich Bitcoin Meetup; Zurich, Suiza; Marzo 2016; https://www.youtube.com/watch?v=5ca70mCCf2M

La Moneda como Lenguaje

Bitcoin Expo 2014 - Conferencia; Toronto, Ontario, Canada; Abril 2014; https://www.youtube.com/watch?v=jw28y81s7Wo

Principios de Diseño de Bitcoin

Harvard Innovation Lab para un IDEO Workshop; Boston, Massachusetts; Junio de 2015; https://www.youtube.com/watch?v=Ur037LYsb8M

El Dinero como un Tipo de Contenido

Bitcoin South Conference; Queenstown, Nueva Zelanda; Noviembre de 2014; https://www.youtube.com/watch?v=6vFgBGdmDgs

Los Elementos de La Confianza: Desatando la Creatividad

Blockchain Meetup; Berlin, Alemania; Marzo de 2016; https://www.youtube.com/watch?v=uLpSM3HWU6U

Crecimiento de Bitcoin

Bitcoin Meetup en Paralelni Polis; Praga, Chequia; Marzo del 2016; https://www.youtube.com/watch?v=bFOFqNKKns0

Índice

Made in the USA
Lexington, KY
14 April 2018

Internet del Dinero